AH, SE EU SOUBESSE!

AH, SE EU SOUBESSE!

Coisas que aprendi só depois de ter filhos

—

GARY CHAPMAN
SHANNON WARDEN

Traduzido por Vanderlei Ortigoza

Copyright © 2016 por Gary Chapman
Publicado originalmente por Northfield Publishing,
Chicago, Illinois, EUA.

Os textos das referências bíblicas foram extraídos da
Nova Versão Transformadora (NVT), da Editora Mundo
Cristão (usado com permissão da Tyndale House
Publishers, Inc.), salvo indicação específica.

Todos os direitos reservados e protegidos pela Lei
9.610, de 19/02/1998.

É expressamente proibida a reprodução total ou
parcial deste livro, por quaisquer meios (eletrônicos,
mecânicos, fotográficos, gravação e outros), sem prévia
autorização, por escrito, da editora.

Edição
Daniel Faria

Preparação
Cristina Fernandes

Revisão
Natália Custódio

Produção e diagramação
Felipe Marques

Colaboração
Ana Luiza Ferreira

CIP-Brasil. Catalogação na publicação
Sindicato Nacional dos Editores de Livros, RJ

C432a

    Chapman, Gary

      Ah, se eu soubesse! : coisas que aprendi só depois de ter
filhos / Gary Chapman, Shannon Warden ; tradução Vanderlei
Ortigoza. - 1. ed. - São Paulo : Mundo Cristão, 2019.
      192 p.

      Tradução de: Things I Wish I'd Known Before We
Became Parents
      ISBN 978-85-433-0284-3

      1. Pais e filhos. 2. Educação de crianças. 3. Famílias -
Aspectos psicológicos. I. Warden, Shannon. II. Ortigoza,
Vanderlei. III. Título.

19-59025

                      CDD: 158.24
            CDU: 159.9-055.52-055.62

Publicado no Brasil com todos
os direitos reservados por:

Editora Mundo Cristão
Rua Antônio Carlos Tacconi, 69
São Paulo, SP, Brasil
CEP 04810-020
Telefone: (11) 2127-4147
www.mundocristao.com.br

Categoria: Família
1ª edição: fevereiro de 2020
2ª reimpressão (impressão digital): 2025

A nossos cônjuges,
Karolyn Chapman e Stephen Warden,
com quem temos dividido as alegrias
e os desafios da educação dos filhos

SUMÁRIO

Agradecimentos   9

Prefácio   11

Introdução   13

Ah, se eu soubesse que...

1. Ter filhos altera radicalmente a rotina   19

2. Ter filhos custa caro   29

3. Nenhuma criança é igual a outra   44

4. Ensinar a criança a ir ao banheiro é coisa séria   57

5. Crianças precisam de limites   68

6. A saúde emocional da criança é tão importante quanto sua saúde física   82

7. Os filhos são grandemente influenciados pelo exemplo dos pais   98

8. Às vezes os pais precisam pedir perdão   112

9. Aptidões sociais são tão importantes   127
quanto conhecimento acadêmico
10. Os pais são responsáveis pela educação   142
de seus filhos
11. O casamento não funciona no piloto automático   156
12. Crianças podem trazer grande alegria   171

Epílogo   185
Notas   189

AGRADECIMENTOS

Em primeiro lugar, gostaríamos de agradecer a nossos cônjuges, Karolyn Chapman e Stephen Warden. Sua ajuda e estímulo nos possibilitaram dedicar tempo e energia para completar este projeto.

Os casais que vieram ao nosso consultório compartilhar suas vitórias e dificuldades também ajudaram muito nossa compreensão a respeito da criação de filhos. Somos imensamente gratos por isso.

Estamos muito agradecidos pela dedicação de Anita Hall, que não apenas digitou nossos manuscritos como também ofereceu sugestões muito úteis.

A equipe da Editora Moody dedicou-se ao costumeiro e excelente trabalho de estimular, apoiar e orientar nossos esforços. Betsey Newenhuyse nos assessorou com valiosas sugestões editoriais. John Hinkley foi nosso conselheiro e incentivador o tempo todo.

PREFÁCIO

Anos atrás, escrevi *O que não me contaram sobre o casamento* e fiquei muito animado com a repercussão daquele livro. Muitos conselheiros e pastores o incorporaram em seus cursos de aconselhamento para noivos, e muitos pais e avós o deram de presente. Continuo a acreditar que, havendo uma boa preparação antes do casamento, maior será o sucesso em desenvolver um casamento saudável.

Creio que o mesmo vale para a criação dos filhos. Quanto mais preparados estivermos, maior a probabilidade de nos tornarmos bons pais. Desde o lançamento daquele livro eu sabia que algum dia desejaria escrever uma continuação, desta vez enfocando a criação dos filhos. Assim como Karolyn e eu enfrentamos problemas nos primeiros anos de casamento, também tivemos dificuldades para educar nossas duas crianças. Ninguém nos disse o que esperar nem o que fazer. Felizmente, fizemos nosso melhor, e nossos filhos chegaram à vida adulta e construíram casamentos saudáveis. Hoje temos dois netos.

Antes de escrever a obra que você tem em mãos, procurei como coautor alguém que ainda tivesse filhos pequenos e que pudesse falar de suas experiências recentes. Exultei quando a dra. Shannon Warden demonstrou interesse em participar. Shannon trabalhou em nossa equipe de aconselhamento anos atrás. Depois, retornou à pós-graduação, obteve o pós-doutorado e por muitos anos lecionou aconselhamento na faculdade, atualmente na Wake Forest University.

Shannon é casada com Stephen e tem três filhos: Avery, Carson e Presley, que você conhecerá nas páginas a seguir. Shannon aprendeu a equilibrar casamento, filhos, trabalho e atividades na igreja; ela não escreve do alto da torre da academia, mas da trincheira da vida real. Na Introdução você conhecerá um pouco da jornada de Shannon rumo à maternidade. Ela tem vivido as aflições e as alegrias de engravidar e criar os filhos.

Sou muito grato pela participação da dra. Warden neste livro, que acredito ser de extrema necessidade. Desejamos compartilhar nossas experiências e tudo o que aprendemos ao longo desses anos aconselhando centenas de pais. Convidamos o leitor a manusear este livro antes que os bebês cheguem e, posteriormente, consultá-lo outras vezes à medida que experimenta os deleites e os desafios da criação dos filhos.

GARY CHAPMAN, PhD

INTRODUÇÃO

A preparação para a paternidade exige muito tempo e energia e geralmente começa bem antes da gravidez. Muitos casais questionam o melhor momento para ter filhos. Por vezes, eles pensam nas mudanças necessárias nos relacionamentos, nos horários de trabalho, na renda familiar, na casa, no carro etc. Para esta Introdução, pedi a Shannon que contasse um pouco de sua jornada rumo à maternidade. Acredito que a história dela revelará a razão de eu tê-la convidado para participar desta obra.

Stephen e eu escolhemos o nome de Avery aproximadamente três anos antes do nascimento dele. Estávamos muito empolgados com a ideia e começamos a planejar nossa família. O primeiro teste positivo de gravidez ocorreu depois de nove meses de tentativas. Duas semanas depois, sofri um aborto espontâneo. Nós já estávamos preocupados porque estava demorando muito para eu engravidar, embora soubéssemos que 10% das mulheres podem levar até um ano para ficarem grávidas.[1] O aborto foi um tremendo choque emocional, mas não desistimos do sonho de ter um bebê.

Enchemo-nos de esperança, e ao mesmo tempo de ansiedade, quando finalmente engravidei de Avery. A esperança crescia conforme crescia a barriga, e nosso cuidado com relação a outro aborto espontâneo passou para outras questões relacionadas à gravidez: náuseas, cansaço, inchaços, dificuldade para dormir, indigestão, hemorroidas, mau humor, depressão e ansiedade. As informações e o apoio de médicos profissionais, familiares e amigos foram extremamente valiosos ao lidarmos com esses e outros estressores físicos e emocionais. Em pouco tempo, imagens de ultrassom, chás de bebês e atividades agradáveis como decorar o quarto do bebê ajudaram a tornar a gravidez mais suportável. Por fim Avery nasceu, e ficamos em êxtase.

Aproximadamente três anos depois do nascimento de Avery, Stephen e eu começamos a tentar a gravidez de um segundo filho. Não fazíamos a mínima ideia de como seria desta vez, mas, considerando as duas primeiras experiências, sabíamos que poderia levar algum tempo. Depois de poucos meses tentando, eu engravidei, porém um exame de ultrassom na décima semana revelou outro aborto espontâneo, provavelmente ocorrido na sexta ou sétima semana. Frustrados, mas ainda esperançosos, aguardamos alguns meses (o tempo recomendado nesses casos) antes de retomarmos, com afinco, as tentativas de engravidar — sem nenhum resultado durante mais de um ano. Finalmente consultamos um especialista em fertilidade, com quem fiz alguns meses infrutíferos de tratamento.

INTRODUÇÃO

O tempo ia passando, e Stephen e eu ficávamos mais desanimados e confusos. O especialista recomendou fertilização *in vitro*, técnica que sabíamos ter beneficiado muitos casais. Mas eu não queria seguir por esse caminho e disse a Stephen: "Creio que Deus está nos dizendo: 'Darei a vocês um bebê no meu tempo'".

O que eu não sabia é que Deus já havia nos concedido um bebê. Naquele exato momento eu estava grávida de Carson, sem saber. A novidade chegou algumas semanas mais tarde, com um teste positivo de gravidez.

Quando Carson completou 1 ano de idade, Stephen e eu estávamos bem equilibrados em relação a trabalho e ritmo de vida. Estávamos nos sentindo tão bem que decidimos gerar um terceiro filho. Antes disso, consultamos amigos e familiares com três ou mais filhos. Todos disseram que a tarefa era difícil, todos disseram que valia a pena e todos disseram que não se arrependeram da decisão. Por incrível que pareça, nossa terceira tentativa resultou em uma gravidez quase imediata, sem nenhum problema de infertilidade. Nove meses depois, Presley chegou. Ainda nos maravilhamos com a facilidade da gravidez de Presley comparada com a de Avery e Carson. Consideramos isso um lembrete de que na vida e na geração de filhos nem sempre é possível prever o que acontecerá, mas sempre é possível encontrar esperança em meio às circunstâncias.

Jornadas como a de Stephen e Shannon não são incomuns. Entretanto, cada casal é único, e sempre haverá alegrias e desafios. O mesmo vale para casais que não podem ou escolheram não ter filhos e, em vez disso, decidiram adotar. Sem dúvida há muita necessidade no mundo de pais adotivos amorosos. A exemplo de casais que geraram filhos próprios, pais adotivos também experimentam insegurança, estresse e alegria ao longo do processo de adoção. Mais uma vez, os requisitos para a criação de filhos, quer biológicos, quer adotivos, permanecem os mesmos: agir intencionalmente, planejar e ter flexibilidade.

Ainda que pareçam intermináveis, os meses de gravidez transcorrem inexoráveis e, no devido tempo, o bebê chega ao mundo. Dentre as opções de nascimento (p. ex., parto normal, por cesariana, na maternidade ou em casa), todas apresentam suas próprias complexidades e dificuldades. Assim como no processo de gravidez, sábia é a mulher que tem flexibilidade e está informada a respeito das opções e desafios envolvidos no parto. Mesmo estando preparados tanto quanto possível, vocês, como muitos outros pais, descobrirão que partos exibidos na TV e relatos de amigos não os prepararam para o nascimento de seu próprio bebê. A sua história será única — única em seus desafios e única em suas alegrias. A boa notícia é que, não importam as complexidades, as confusões e as dores de parto, uma grande alegria espera por vocês poucos segundos depois do nascimento de seu bebê: a alegria de segurar e beijar pela primeira vez aquele precioso pacotinho de felicidade.

Quem sabe as alegrias e os desafios da chegada de um novo membro à família ajudem vocês a se preparar para as alegrias e os desafios que estão por vir. Qualquer que seja o momento que estiverem vivendo — pensando em ser pai/mãe, tentando engravidar, esperando o primeiro filho, considerando a opção de adotar —, esperamos que os capítulos seguintes sirvam de lembrete quanto aos prazeres e benefícios da criação de filhos e os estimulem a permanecer firmes e confiantes em meio a períodos e momentos difíceis.

Vocês identificarão rapidamente o tema central ao longo deste livro: ter filhos vale a pena! Vale as incertezas e o

INTRODUÇÃO

estresse de engravidar, o desconforto e a dor da gravidez e do parto e todas as demais turbulências que os pais enfrentam posteriormente. Em nossa opinião, todo pai e toda mãe sabem disso instintivamente, mas, ainda assim, acreditamos que informação e incentivo podem ser ferramentas úteis. Portanto, leiam este livro para encontrar esperança, risadas e tranquilidade, e também para relembrar as coisas grandes e pequenas que fazem a criação dos filhos valer o tempo e a energia investidos.

Ah, se eu soubesse que...
TER FILHOS ALTERA RADICALMENTE A ROTINA

Lembro-me perfeitamente daquele domingo de manhã em que nossa filha nasceu. Karolyn me acordou dizendo que estava com contrações.

— E o que isso quer dizer? — perguntei.
— Que o bebê está para nascer.
— Sério?
— Sério. Acho que devemos ir ao hospital.

Então, vesti-me rapidamente e partimos. Nem ela nem eu sabíamos o que era ter um filho. Ambos estávamos ansiosos, embora fôssemos um tanto ingênuos.

Depois de três anos casados, estávamos prontos para o primeiro filho. Bem, era o que pensávamos. Sempre planejamos ter filhos. Durante o namoro, Karolyn comentava o desejo de ter cinco meninos (ela vinha de uma família grande), e eu, ainda "apaixonado", respondia: "O que você quiser está bom para mim".

Eu não tinha a menor noção do que estava dizendo.

Ainda assim, naquela manhã de domingo eu me sentia pronto para acolher o primeiro filho, ou filha. Difícil acreditar, mas isso foi antes do surgimento das máquinas de ultrassom. Até que o bebê surgisse no momento do parto, ninguém sabia se teria um menino ou uma menina. Devo admitir que isso gerava ainda mais emoção.

Outra coisa difícil de acreditar hoje em dia é o fato de que em épocas passadas o marido não tinha permissão para entrar na sala de parto. Imagino que as enfermeiras, cansadas de socorrer maridos desmaiados, achavam melhor que eles ficassem na sala de espera. Aliás, nosso médico chegou a me dizer: "O parto vai levar várias horas, por isso sugiro que volte à igreja, pregue seu sermão e retorne mais tarde. Vai dar tempo de sobra" (ele sabia que eu pastoreava uma pequena igreja na cidade). A princípio fiquei chocado, mas depois pensei melhor: "Por que não? Posso dar a boa notícia aos membros da igreja".

E foi o que fiz. Ao final do sermão, falei: "Não ficarei na porta para cumprimentá-los esta manhã, porque, mais cedo, levei Karolyn ao hospital. O bebê está chegando e tenho de voltar para lá". Percebi que as mulheres ficaram contrariadas por eu não ter ficado com Karolyn, mas, no fim das contas, eu estava apenas seguindo orientações médicas.

De qualquer forma, quando retornei ao hospital a sala de espera estava tranquila. Dez minutos depois, apareceu uma enfermeira dizendo: "Parabéns, o senhor é pai de uma linda menina". Acompanhei-a até a sala de parto e vi o bebê deitado no abdôme de Karolyn. "É uma menina", disse ela em tom de desculpas. "Não pude evitar." Impressionante o que as pessoas dizem em momentos como esse. "Está ótimo!", eu disse. "É você que queria meninos. Estou muito feliz com uma menina." E o médico acrescentou: "Essa menininha vai hipnotizar o papai em dois tempos". Ele estava certo sobre isso!

Dois dias depois, voltamos para casa com a nossa filha. Foi então que descobrimos que ter um bebê e cuidar de um bebê são coisas muito diferentes. Todas as visitas de fim de noite à sorveteria para satisfazer o desejo de Karolyn por banana *split* eram muito mais fáceis quando a bebê estava no ventre. Na verdade, tudo era mais fácil quando ela estava no ventre. Agora tínhamos de alimentá-la muito mais vezes do que havíamos imaginado. Karolyn decidiu amamentar nos primeiros meses. Antes de tomar essa decisão, sugiro que você converse com seu médico, sua mãe e com os amigos que escolheram esse caminho. A amamentação parece ser o meio natural, mas há várias questões envolvidas. Busque o que funciona melhor para você e seu bebê.

> Descobrimos que ter um bebê e cuidar de um bebê são coisas muito diferentes.

Bem, e tem toda aquela sujeira que ocorre no outro extremo do corpo do bebê. Isso também acontecia muito mais vezes do que havíamos imaginado. Naqueles "bons e velhos tempos" usávamos fraldas de pano que precisavam ser lavadas. Não é uma tarefa das mais agradáveis. Assim, contratamos um serviço de lavanderia que vinha buscar as fraldas sujas e as devolvia limpas. Atualmente, a maioria dos casais utiliza fraldas descartáveis — muito mais fácil. Apesar disso, trocá-las ainda demanda tempo, e o cheiro não é nada bom.

O esquema básico é o seguinte: dê alimento e depois recolha o excremento. Se vocês não fizerem isso, o bebê não sobrevive. Além desses dois procedimentos essenciais, é necessário contabilizar outras muitas horas diárias dedicadas à criação da criança. Todos os pais querem que o bebê durma muitas horas por dia e a noite inteira. Se isso acontecer, vocês têm sorte. Terão tempo para preparar refeições, lavar roupas, cortar a grama e todas as outras necessidades da vida a dois.

Nossa filha dormia muito mais do que esperávamos. Mesmo assim, sentíamo-nos compelidos a checar constantemente se ela estava respirando durante o sono. Não sabíamos quanto era bom o que tínhamos até a chegada do segundo filho, um menino que não queria saber de dormir. Ele tomou muito mais do nosso tempo.

Sabíamos dos benefícios de segurar carinhosamente o bebê. Eu havia lido todos os estudos a respeito de bebês que têm o desenvolvimento emocional prejudicado em razão de passarem horas demasiadas sem toques afetuosos. Queríamos que nossa filha se sentisse amada, por isso a pegávamos no colo o tempo todo, falávamos com ela e a fazíamos rir. À medida que crescia, líamos histórias para ela, muito antes que fosse capaz de compreender nossas palavras, pois queríamos estimular seu cérebro com sons e figuras. Resumindo, queríamos ser bons pais.

Tudo isso, porém, exigia tempo — muito tempo. Em teoria, sabíamos que um filho exigiria atenção, mas teoria e realidade são coisas diferentes. Gostaria que alguém tivesse nos contado que teríamos de alterar nossa rotina depois da chegada do bebê.

Havíamos tomado uma decisão importante antes do nascimento de nossa filha. Karolyn decidiu que gostaria de ser mãe em tempo integral. Concordamos, então, que ela deixaria seu emprego antes que o bebê nascesse. Com essa decisão, presumi que não teria de alterar muitas coisas em minha rotina. Afinal, uma "mãe em tempo integral" deve ser capaz de cuidar sozinha de um bebê, certo?

Eu estava prestes a descobrir a verdade. Existe uma razão para a necessidade de duas pessoas, pai e mãe, gerarem um bebê. Existe uma razão para marido e esposa se comprometerem matrimonialmente a "amar e cuidar" um do outro. Nunca o amor será mais necessário do que quando se tem um filho. Todos os estudos indicam que o ambiente mais saudável para a criação dos filhos é aquele formado por mãe e pai que se amam e se apoiam mutuamente. Um de meus livros anteriores, *As 5 linguagens do amor*,[1] auxiliou milhões de casais a criarem um casamento amoroso, atencioso e saudável. Com esse tipo de relacionamento, ambos os cônjuges se dispõem a ajustar suas agendas para suprir as necessidades um do outro e dos filhos.

> A capacidade de reconhecer as próprias limitações e ajustar a agenda para incluir as coisas que são mais importantes ajudará você a não se sentir derrotado ou decepcionado consigo mesmo.

Outro fator importante é reconhecer nossas limitações. Não podemos fazer tudo sozinhos. Todos nós temos limitações. Um homem não pode malhar duas horas por dia na academia, trabalhar em período integral, passar três horas no computador à noite, ir a eventos esportivos ou jogar golfe todo sábado e ser um marido e pai amoroso. A capacidade de reconhecer as próprias limitações e ajustar a agenda para incluir as coisas que são mais importantes ajudará você a não se sentir derrotado ou decepcionado consigo mesmo. Tempo, dinheiro, energia e habilidades têm limites. Melhor comemorar a realização de objetivos realistas que cair em depressão por causa de objetivos irreais não alcançados.

Outra coisa importante antes do nascimento do bebê é o casal desenvolver e manter uma mentalidade de equipe, abandonando o pensamento individualista que a maioria das pessoas traz consigo quando se casa. Estamos falando de uma transformação permanente. Os pais não podem mais pensar "O que farei", mas sim "O que faremos". Criar filhos é um esporte de equipe.

Autossacrifício é outra atitude essencial para alterar a agenda. Minha coautora, Shannon, fez um estágio de aconselhamento como parte de seu doutorado e conheceu uma capelã hospitalar com PhD que havia lecionado durante muitos anos em uma universidade local. Essa capelã relatou que amava ser mãe e por isso reduziu intencionalmente o ritmo de sua carreira durante a infância de seus filhos, a fim de que pudesse estar com eles tanto quanto possível e ao mesmo tempo continuar trabalhando. Em termos profissionais, isso significava que ela deixou de subir os degraus da titularidade acadêmica tão rápido quanto poderia. Para essa mulher, criar os filhos era mais importante que sua carreira profissional.

No trabalho ou em outras áreas da vida, os pais quase sempre enfrentam algum grau de sacrifício pessoal ou profissional em favor dos filhos. Algumas vezes esse sacrifício pode parecer grande; outras vezes nem mesmo é considerado sacrifício.

Ajustar a atitude e escolher a melhor maneira de encarar a paternidade/maternidade é uma tarefa desafiadora, mas que vale a pena. No entanto, viver com expectativas irreais e inalcançáveis é frustrante, improdutivo e desagradável.

Colocando em prática

Além da mudança de atitude, também são necessários passos práticos para lidar com a demanda de tempo que os papeis de pais e cônjuges consomem. Shannon e eu elaboramos as seguintes sugestões que, acreditamos, irão ajudá-lo a realizar as mudanças necessárias na agenda.

1. Organize-se

Sem dúvida trata-se de uma questão problemática, por duas razões. Primeiro, nem todos foram dotados com a habilidade da organização. Essa foi uma das coisas que descobri depois de casado. Sou uma pessoa extremamente organizada, porém minha esposa é o contrário. Segundo, organizar-se exige tempo, e tempo é justamente uma das limitações com que lidamos para começo de conversa.

Felizmente, existem pequenas mudanças que você pode adotar e que trarão grandes benefícios. Observe sua agenda atual e pergunte-se o que precisará ser mudado após a chegada do bebê. Ou, caso o bebê já esteja em sua casa, identifique os pontos de estresse e pergunte-se como poderia amenizar essas pressões ao organizar seu tempo de modo diferente.

Por exemplo, talvez você possa acordar trinta minutos mais cedo; ou reservar meia-hora do almoço para trabalhar; ou lavar a louça de casa a fim de dar à sua esposa uma pausa para descansar.

2. Seja criativo

Seu bebê não será um bebê para sempre. Mais cedo do que possa imaginar, você estará fazendo coisas criativas com ele, como brincar de pirata ou de casinha. Livros de colorir também voltarão a fazer parte da sua rotina. Esses são apenas alguns exemplos de atividades que ocorrem naturalmente na criação dos filhos. Os pais também devem recorrer à criatividade quando a rotina da família estiver sobrecarregada.

Fazer várias tarefas ao mesmo tempo pode ser um arranjo criativo, mas nem sempre é o melhor para seu filho. Quando consegue levá-lo com você para uma atividade rotineira como fazer compras no mercado, você estará realizando uma tarefa necessária, ao mesmo tempo que coloca seu filho em um ambiente estimulante. No entanto, conversar com ele enquanto envia uma mensagem de celular ou assiste a um filme é impedi-lo de receber tempo de qualidade.

3. Envolva outras pessoas

Os pais nem sempre podem ficar com os filhos 24 horas por dia, sete dias na semana. Por isso, precisam da ajuda de pessoas confiáveis para cuidar deles. Alguns pais têm a sorte de contar com familiares ou amigos que moram perto e estão dispostos a ajudar. Boas creches, pré-escolas e escolas primárias também têm papel importante na vida de algumas famílias. Muitos pais relutam em buscar ajuda para cuidar dos filhos, especialmente pais novatos que não se sentem seguros em deixar o filho pela primeira vez. Nesse caso, é muito sensato informar-se a respeito das opções de cuidados infantis e avaliar a segurança e a credibilidade de cada uma delas. Com tal zelo, e conforme adquirem confiança nesses cuidadores, os pais obtêm não apenas alívio, mas também liberdade. "Amo levar meus filhos à creche", comentou uma amiga. Sua fala foi tanto um elogio à creche como uma manifestação de liberdade pessoal, pois isso lhe possibilitava dar conta de outras responsabilidades. A exemplo de muitos pais, essa mãe sabia em primeira mão do benefício de receber ajuda na criação dos filhos.

Shannon e Stephen são abençoados por terem familiares morando perto. Os avós se alegram com a oportunidade de passar tempo com os netos (desde que não seja por longos períodos nem com muita frequência). Karolyn e eu não tínhamos parentes por perto. No entanto, tínhamos amigos maravilhosos que se dispunham a cuidar deles por uma ou duas horas enquanto realizávamos outras tarefas. Outros amigos adultos solteiros também ajudaram a cuidar das crianças, o que permitiu que Karolyn e eu participássemos de conferências e fizéssemos viagens curtas.

4. Simplifique

Não importa de que lado você olhe, a vida com filhos é agitada. E tende a ficar ainda mais frenética conforme eles crescem. Quando começam os jogos de futebol, as aulas de piano, os recitais, a vida pode se tornar uma maratona. Em algum momento será necessário simplificar. Mas quais atividades cancelar? A vida não deve ser constantemente pressionada. A mente e o corpo precisam de descanso e de tempo para refletir e desfrutar os prazeres simples da vida, como observar um pássaro, um arco-íris ou o pôr do sol. "Este é o primeiro sábado em muito tempo que não tenho nada para fazer", comentou um pai. Busque mais sábados assim!

Quando nossa filha era pequena, Karolyn descobriu que as tardes de domingo eram momentos maravilhosos para relaxar com o bebê. Como pastor, eu tinha deveres nesse horário, mas sempre incentivei Karolyn a ficar em casa. Toda a congregação entendeu? Não! Mas a maioria sim, pois também ficaram em casa nessa fase. A cultura não deve controlar nossa vida — nem mesmo a cultura cristã. Nossa responsabilidade é perante Deus, não perante a cultura.

5. Comemore o que está funcionando

Procure oportunidades de incentivarem um ao outro. Concentrar a atenção e a energia naquilo que está funcionando é uma forma de não apenas estimular e se relacionar com o cônjuge e com os filhos de maneira positiva, mas também de melhorar a perspectiva daquilo que não está funcionando. Ao agir assim, os pais percebem que suas vitórias ultrapassam as derrotas e creem ser possível trabalhar para vencer outros desafios.

Obviamente, não se trata de uma lista exaustiva. Ainda assim, essas cinco sugestões podem servir de ponto de partida para identificar as limitações e os pontos fortes da rotina de sua família. Gostaria que alguém tivesse compartilhado essas ideias comigo antes de eu me tornar pai.

TROCANDO UMA IDEIA

1. Converse com um casal que deu à luz um bebê nos últimos seis meses e pergunte como a criança alterou a rotina deles.
2. Caso você e seu cônjuge trabalhem em tempo integral, já conversaram a respeito de mudanças profissionais depois do nascimento do bebê? Tomaram alguma decisão?
3. Caso tenham decidido continuar trabalhando em tempo integral, com quais opções de cuidados infantis vocês contam?
4. Façam uma lista das atividades mais importantes que cada um realiza em seu "tempo livre" — coisas como esportes, academia, redes sociais, *hobbies* etc. Vocês consideram cortar algumas delas depois que o bebê chegar?
5. Façam uma lista das tarefas domésticas e de quem as realiza. Enumerem coisas como: ir ao supermercado, cozinhar, lavar louça, varrer ou passar aspirador, limpar o banheiro etc. Haverá mudança de papeis em algumas dessas tarefas?
6. Até que ponto vocês estão dispostos a fazer sacrifícios pessoais em favor do bebê?

Ah, se eu soubesse que...
TER FILHOS CUSTA CARO

A conta do hospital chegou poucos dias depois do nascimento de nossa filha. O custo total do parto foi de 9 dólares. (Lembre-se que estamos falando dos "bons e velhos tempos"; além disso, eu tinha um plano de saúde decente.) Um bebê por esse preço? Que negócio imbatível! Confesso que fiquei eufórico. Aliás, acho que nunca me passou pela cabeça considerar os custos dos próximos 26 anos: pré-escola, ensino fundamental, ensino médio e faculdade de medicina. Sinceramente, fico feliz, pois pensar nisso teria me deixado maluco.

Se você é do tipo que planeja tudo e deseja realmente saber, talvez queira consultar o relatório anual publicado pelo Centro de Política e Promoção Nutricional do Departamento de Agricultura dos Estados Unidos, intitulado "Gastos da família com filhos". O resumo é o seguinte: o custo estimado de criar um filho desde o nascimento até os 17 anos é de aproximadamente 250 mil dólares. Esse número se refere a uma família de classe média composta por um casal e dois filhos e não inclui gastos com ensino superior nem com outras despesas após os 18 anos de idade. (Com certeza alguns leitores já correram para a calculadora e encontraram a cifra de 14.705 dólares por ano.)[1] Esses valores, obviamente, podem variar bastante dependendo do tipo de moradia, alimentação, transporte, roupas, plano de saúde, cuidados infantis, educação e muitos outros fatores.

Espero que essa informação não o desanime, mas, se isso acontecer, pegue um pincel marcador de cor preta e risque todo o parágrafo acima. Na verdade, poucos casais param para projetar esse longo processo. Sei que nós não paramos. A vida é para ser vivida um dia de cada vez. Damos à luz nossos filhos e depois nos apaixonamos tão perdidamente por eles que, de forma instintiva, nos comprometemos a buscar os recursos para bancar os custos que geram. Espera-se que o bom senso entre em cena e nos diga quando estivermos gastando mais do que ganhamos. Se isso acontecer, será necessário ajustar o orçamento.

Uma das decisões que Karolyn e eu tomamos desde o início foi "viver dentro de nossas possibilidades". Temos aversão a dívidas. Não tínhamos nem mesmo cartão de crédito até o nascimento de nossa filha. Fomos atrás do primeiro cartão quando nos mudamos para o Texas para eu cursar meu doutorado e tivemos de comprar um berço. No entanto, o cartão foi negado em razão de não possuirmos um histórico de crediário. Em retrospectiva, não foi uma boa ideia ficar de fora do sistema crediário (outra coisa que eu gostaria que alguém tivesse me contado). Obviamente, é muito fácil obter um cartão de crédito hoje em

> Passei a ver os filhos não como despesa, e sim como investimento.

dia. Na verdade, você não consegue entrar em uma loja sem que alguém lhe ofereça um cartão.

Utilizar o cartão de crédito com sabedoria (isto é, pagar a fatura na data do vencimento) pode facilitar muito a vida. Em contrapartida, o acúmulo de débitos no cartão tem deixado muitas famílias em sérios problemas financeiros. Esperamos que as ideias apresentadas neste capítulo ajudem sua família a viver dentro dos limites de sua renda enquanto criam seus filhos.

Com o passar do tempo, descobrimos que os valores envolvidos na criação dos filhos vão além da questão financeira. Também envolvem gasto de tempo e energia, conforme vimos no primeiro capítulo. Dinheiro, tempo e energia! Todo esse custo pode parecer desencorajador, mas passei a ver os filhos não como despesa, e sim como investimento. De fato, acredito que as crianças são nosso melhor "investimento". Elas nos trazem muita alegria nos primeiros anos. Nós as amamos, e elas aprendem a nos amar e amar os outros. Nós as ajudamos a descobrir e a desenvolver suas próprias e singulares aptidões e interesses. Assim, elas crescem para abençoar o mundo e enriquecer a vida de todos que encontrarem pelo caminho. Se temos um relacionamento amável, então, em nossa velhice, quando nos tornamos mais infantis e elas mais adultas, elas cuidarão de nós. Haverá investimento melhor?

Certamente o valor que os filhos acrescentam à nossa vida e ao mundo ultrapassa em grande medida seu custo financeiro. Ainda assim, é bom antecipar os custos envolvidos e encontrar uma maneira sábia de gerenciar as finanças, o tempo e as energias para que possamos cuidar deles da melhor forma possível.

Shannon e eu não somos peritos em finanças e, por isso, costumamos incentivar nossos clientes a procurar consultores financeiros quando necessitam de estratégias econômicas mais abrangentes. Descobrimos, porém, alguns princípios comuns que podem ser úteis para os pais que compartilham conosco suas dificuldades financeiras. São eles: 1) o compromisso com a autodisciplina é essencial; 2) a organização é valiosa; e 3) a criatividade estica o dinheiro. Gostaria que alguém tivesse me dito isso antes de Karolyn e eu nos tornarmos pais.

Compromisso com a autodisciplina

Uma das definições de autodisciplina é governar a si mesmo em prol do aperfeiçoamento. O primeiro passo na autodisciplina é conscientizar-se das mudanças necessárias. No caso das finanças, significa manter registros da utilização do dinheiro a fim de descobrir se a família está vivendo dentro de seus recursos. Se não conseguirem pagar as despesas regulares sem entrar em dívida, então é hora de fazer uma correção de curso. Isso exige uma conversa sobre como cortar despesas ou ganhar mais dinheiro. Depois de tomadas as decisões, a autodisciplina os chama a respeitá-las rigorosamente.

Shannon compartilhou que ela e Stephen, ao perceberem a necessidade de uma correção de curso, tomaram decisões como "fazer menos refeições fora e preparar alimentos mais simples e saudáveis em casa; levar almoço para o trabalho; comprar menos coisas por impulso e mais por necessidade que por vontade; diminuir os gastos no cartão de crédito". Ela comentou: "A exemplo de muitos casais, nossa tendência era focar os desejos do dia a dia, recorrendo à conveniência e à necessidade como desculpas para gastar futilmente em algumas ocasiões. Ao renovarmos nosso compromisso com a autodisciplina financeira, descobrimos novas e gratificantes maneiras de economizar dinheiro para as coisas mais importantes.

O aprimoramento dessa estratégia fez não apenas sobrar mais dinheiro para as necessidades de curto e longo prazo de nossos filhos, como também fortaleceu nosso relacionamento um com o outro. Isso foi um benefício inesperado".

Karolyn e eu tivemos de aprender autodisciplina na marra quando ingressei no doutorado. Tivemos uma filha e decidimos que Karolyn deixaria o emprego para ficar em casa. Eu trabalhava meio período em um banco e ganhava apenas o suficiente para pagar o aluguel, as contas de consumo e nossa alimentação básica. Não sobrava mais nada. Lembro-me do dia que Karolyn me disse: "Querido, você poderia pagar as contas e controlar o talão de cheques de hoje em diante?". Essa era uma tarefa que ela havia assumido. "Posso, mas por quê?" "Porque me dá dor no estômago", respondeu ela. Isso mostra como nosso orçamento era apertado.

Não sobrava dinheiro nenhum para comprar roupas, comer fora ou alguma atividade de lazer. Ao relembrar aqueles dias, sinto profunda gratidão pela autodisciplina de Karolyn. Três anos mais tarde, saí da graduação com meu título de PhD e sem nenhuma dívida. Karolyn não comprou um único par de sapatos naquele período. Hoje, com os filhos crescidos, creio que você compreenderá a razão de eu nunca reclamar quando ela aparece em casa com seis pares de sapatos.

Cada casal terá de decidir como irá "se virar" para fechar o orçamento. Então, depois de entrarem em acordo, a autodisciplina será necessária para que alcancem seus objetivos.

A organização é valiosa

Sou uma pessoa organizada por natureza. Qualquer um perceberá isso se observar como arrumo a louça suja na máquina.

Karolyn, em contrapartida, coloca a louça na máquina como se estivesse jogando *frisbee*. Entretanto, quando se trata de finanças, não chego nem perto da organização dela. Embora eu pagasse as contas todo mês (depois de ela me recrutar para essa tarefa) e controlasse o talão de cheques, jamais criei uma planilha orçamentária. Conforme sugeri anteriormente, a elaboração de um orçamento é uma ferramenta muito útil na organização do fluxo de caixa. Essa é outra coisa que gostaria de ter sabido antes de me tornar pai.

Confesso que a ideia de criar um orçamento me ocorreu somente depois do doutorado. Mas, uma vez que eu tinha um emprego de verdade e começamos a ter um pouco mais de dinheiro, colocar tudo no papel, de acordo com a categoria dos gastos, serviu para me abrir os olhos. Karolyn e eu entendemos que precisávamos pensar no futuro, quando nossa filha provavelmente iria para a faculdade. Isso nos forçou a refletir de modo mais claro e detalhado sobre o que estávamos fazendo com o nosso dinheiro.

Shannon e Stephen passaram por uma experiência semelhante. "Quando Stephen e eu começamos a levar a sério o gerenciamento das finanças, percebemos que a estratégia dele, 'gaste menos, economize mais', já não era suficiente. Minha visão otimista de 'vamos dar um jeito' também não era mais suficiente. Tivemos de organizar melhor a contabilidade a fim de obtermos uma ideia exata de nossas despesas e anteciparmos necessidades orçamentárias. Stephen organizou um orçamento muito mais detalhado com a minha ajuda, e começamos a conversar a respeito de como gerenciar, da melhor maneira possível, o dinheiro que entrava todo mês. Foi um avanço e tanto para nós."

Ela acrescenta: "Por muitos anos vivemos como se as finanças se resolvessem sozinhas. Hoje somos muito mais organizados com nosso dinheiro. Isso nos possibilita unir esforços para agir dentro do orçamento".

Organização inclui coisas como fazer listas de compras antes de ir ao supermercado. Isso pode mantê-lo longe da compra por impulso e poupar-lhe muito dinheiro. Ou separar uma quantia específica para comprar roupas antes de pisar na loja. Com esse valor em mente, você estará mais propenso a comprar o que necessita, evitando desejos momentâneos.

O dinheiro serve para apenas três coisas: gastar, guardar ou doar. Antes de nos casarmos, Karolyn e eu decidimos investir 10% em obras cristãs. Levamos a fé muito a sério e acreditamos que essa era uma forma de honrar a Deus. Entretanto, não fomos tão específicos sobre a quantia que iríamos guardar. Somente depois do nascimento do bebê e do encerramento do meu doutorado decidimos guardar 10% da nossa renda. Foi uma das decisões mais sensatas que tomamos. Consequentemente, a fim de vivermos com os 80% restantes, tivemos de recorrer à criatividade, o que nos leva à terceira sugestão.

A criatividade estica o dinheiro

Algumas mulheres são magistrais quando o assunto é economizar com criatividade: produzem o alimento, as roupas e o sabonete do bebê; fazem compras com cupons e vendem em lojas de consignação; reciclam objetos domésticos comuns para fabricar brinquedos; enfim, recorrem a estratégias maravilhosas e criativas para economizar. Shannon admite nunca ter feito nada disso, mas ainda assim se considera criativa.

"Stephen e eu guardamos muitas roupas de Avery, de modo que Carson tem sempre um bom estoque de peças, o que evita que tenhamos de renovar totalmente o guarda-roupa de Carson todo ano. Passeamos no nosso bairro e vamos a parques públicos. Empinamos pipa e andamos de bicicleta ou de triciclo. Compramos roupas que possam ser coordenadas e combinadas, em vez de encher o guarda-roupa com peças que raramente vestimos. Esses são alguns exemplos das coisas criativas que fazemos para esticar nosso dinheiro. Não sou a pessoa mais criativa ou parcimoniosa, mas economizar, ainda que pouco, continua sendo economizar. Simplesmente tentamos ser mais práticos e criativos em nossos gastos e economias."

Quando se tem uma menina e depois um menino, não é possível passar as roupas de um para o outro. Karolyn, porém, tinha uma amiga cujo filho era alguns anos mais velho que o nosso, e ela gostava de doar as roupas dele para nós. Não se preocupe com a possibilidade de seu filho adquirir algum complexo por usar roupas de segunda mão. Trata-se de uma excelente oportunidade de ensinar-lhe o princípio de aproveitar o máximo possível o que se tem. Servir os outros é uma grande virtude. Também aceitávamos brinquedos de outras crianças e os passávamos para a frente depois que ficavam ultrapassados para nossos filhos.

Passamos muitas horas com nossos filhos em atividades sem nenhum custo, como correr no quintal ou brincar de jogos de tabuleiro dentro de casa. Quando eles eram menores, pintávamos desenhos com giz de cera. Líamos para eles desde que aprenderam a se sentar no colo. Em consequência disso, nossos dois filhos desenvolveram gosto pela leitura. Quando viajávamos de carro pelo interior, brincávamos de "contar vacas" (quem mora na cidade pode contar carros ou prédios). Sempre contávamos a eles histórias sobre nossa infância, sobre jogos de que gostávamos e atividades que fazíamos. Quando alcançaram idade suficiente, Karolyn passou a levá-los à biblioteca toda semana. Aprenderam a apreciar livros e obras de artes. Não há limite para as coisas criativas que se pode fazer com os filhos por um custo muito pequeno ou inexistente.

Karolyn não compra roupas novas para si, a menos que tenham sido remarcadas pelo menos três vezes. Ela tem gosto refinado, mas compra somente por preço baixo. Jamais questiono quanto ela gastou. Em vez disso, pergunto: "Quanto você economizou hoje?". A criatividade é sua melhor amiga quando o assunto é economizar.

Você também pode ser criativo em "ganhar dinheiro". Nunca fizemos isso, mas ouvi muitos pais contando como ensinaram seus filhos pequenos a assar biscoitos ou *cupcakes* para vender em feiras de artesanato. É uma oportunidade de ensinar-lhes uma habilidade e também o princípio de trabalhar para ganhar dinheiro.

Outras mães que não trabalham fora ganham dinheiro costurando ou vendendo produtos pela internet. A criatividade é amiga daqueles que buscam aumentar o rendimento da família.

Gerenciando o tempo e a energia

Autodisciplina, organização e criatividade são úteis não apenas em estratégia financeira, mas também no gerenciamento do tempo e da energia. Muitos pais novatos têm pouca noção de como seu tempo ficará reduzido depois do nascimento do bebê. Então, avance um pouco no tempo e aquele doce bebê se torna uma criança pequena, que dorme menos, e depois uma criança em idade escolar, que não tem apenas a escola, mas também atividades extracurriculares. De uma hora para outra, os dias dos pais não são mais preenchidos somente com a típica rotina de trabalho e compromissos pessoais, mas incluem limpar a sujeira dos filhos, ir ao supermercado, comprar roupas e levar as crianças de um lado para outro.

A ocupação de pais não é ruim. Nunca ouvimos um pai dizer que gostaria de ter passado menos tempo com seus filhos. Ao contrário, a tendência dos pais é encontrar tempo para ler, cantar, encenar histórias, construir e derrubar castelos, brincar de carrinho, desenhar, jogar ao ar livre e fazer um monte de outras atividades divertidas que as crianças amam. Tudo isso é tempo bem gasto, tempo de que muitos pais têm saudade depois que os filhos crescem. Ter essa perspectiva em mente pode ajudar os pais a apreciar o privilégio de criar filhos em vez de lamentar pelo tempo que eles tomam. Em contrapartida, os pais também necessitam de tempo para manter vivo o próprio relacionamento.

Um das decisões que Karolyn e eu tomamos foi estipular um horário para as crianças dormirem. Quando elas eram pequenas, o horário de ir para a cama era às 19 horas. Depois de completarem 6 anos e começarem a frequentar a escola, concedemos a eles cinco minutos extras. A cada ano acrescentávamos cinco minutos ao horário de dormir, de modo que aos 12 anos o horário era 19h30. Ao entrarem na adolescência, nós o alteramos para 21 horas. Obviamente, isso mudou na fase do ensino médio. Com basquete, aulas de piano e outras atividades extracurriculares, nosso objetivo passou a ser 22 horas. Quando chegava a hora de ir para a cama eles não precisavam dormir, mas tinham de ir para o quarto. Lá podiam ler até sentirem sono (não permitíamos televisão nos quartos). Nossos filhos dormiam muito e iam bem na escola. Isso também nos proporcionava um "tempo a sós" toda noite.

Sei que os pais contemporâneos pensam em como desgrudar os filhos da tela dos dispositivos eletrônicos. A resposta é simples: você controla a tecnologia e não permite que ela domine a vida dos filhos. Crie áreas domésticas onde o uso de eletrônicos é proibido; por exemplo, nenhum aparelho no quarto de dormir. Estipule limite de tempo para o uso dos aparelhos e controle o que eles assistem. (Para obter mais ajuda sobre como fazer isso, consulte meu livro *Growing Up Social* [Desenvolvendo-se socialmente].[2]) As crianças se adaptam com facilidade a uma vida estruturada, porém os pais devem impor limites.

A energia exigida dos pais está intimamente relacionada à demanda de tempo da paternidade/maternidade. Karolyn e eu temos um nível de energia muito alto. A energia se renova por meio de sono, exercícios e lazer. Não notamos nenhuma queda acentuada de energia depois do nascimento de nossa filha. Conforme mencionei anteriormente, ela dormia a maior parte do dia e da noite, o que nos permitia dormir muito bem. Foi depois do nascimento de nosso filho — para quem dormir era perda de tempo — que começamos a sentir perda de energia.

Como em outras vezes, autodisciplina, organização e criatividade foram essenciais para encontrarmos maneiras de manter certo nível de energia, de modo que pudéssemos brincar com as crianças, gerenciar seus horários e os nossos e lidar com necessidades emocionais cada vez maiores e mais variadas.

O primeiro passo de autodisciplina foi avaliar o que era necessário para que tivéssemos energia para realizar tudo isso. A decisão de Karolyn de ser mãe em tempo integral facilitou muito essa questão. Ela se encarregava do turno da noite para que eu pudesse dormir, depois tirava sonecas durante o dia no período de sono das crianças. Conforme elas foram ficando mais velhas, eu as levava ao parque mais próximo no período da tarde, para que Karolyn pudesse ter um momento a sós. Descobri que se estivesse estressado do trabalho, uma parada de dez minutos no caminho de casa, apenas para sentar no carro e relaxar, ou uma pequena caminhada, me preparava para deixar o estresse ir e ficar pronto para a aventura doméstica.

Uma vez estabelecidas as prioridades, é preciso autodisciplina para organizar a vida de acordo com elas. Devemos conscientemente gerenciar o tempo a fim de manter a energia para alcançar nossos objetivos. Passar tempo de qualidade com os filhos era uma de nossas prioridades. Isso significava dizer não a várias oportunidades profissionais e pessoais, entre outras responsabilidades que considerávamos obrigatórias, tudo isso com o intuito de reservar tempo para os filhos. A maioria dos casais tem o desejo de passar mais tempo com seus filhos e a sós um com o outro. Entretanto, sem autodisciplina pode ser que esses pais continuem a se encher de compromissos a ponto de prejudicarem os próprios objetivos.

Organização e criatividade podem ajudar a equilibrar os desafios da criação de filhos. Apelar à multitarefa (interagir com os filhos e ao mesmo tempo cumprir outras responsabilidades) pode ser útil algumas vezes. Shannon compartilhou uma experiência: "O chão da casa parece sempre sujo e eu tenho de varrer e passar o aspirador todo dia. Presley geralmente não me deixa varrer, a não ser que esteja segurando o aspirador. Raras vezes passei aspirador na casa nos últimos dez anos sem que tivesse uma criança grudada em mim. Varrer e passar aspirador são trabalho para mim, mas para eles é diversão. Permitir que ajudassem com a limpeza foi uma solução criativa que encontrei para passar mais tempo com meus filhos. Demora muito mais? Sim! Mas isso não importa. O importante é que estou cumprindo ambos os objetivos ao envolver as crianças nas tarefas domésticas".

Shannon admite que realizar várias tarefas ao mesmo tempo nem sempre funciona. "Às vezes tento ler meus *e-mails* enquanto eles brincam no parque ou quando estou segurando Carson ou Presley no colo. Presley empurra o celular para o lado e puxa meus braços para abraçá-la, e Carson começa a brincar com meu *notebook* até eu desistir, fechar a tampa e voltar a dar atenção a ele. A atitude deles comunica claramente que desejam minha total atenção."

Não estou sugerindo que há somente uma única forma correta de gerenciar o tempo e manter a energia. Estou dizendo que sem autodisciplina, organização e criatividade, a vida ficará desequilibrada. Uma das reclamações mais comuns que Shannon e eu ouvimos em nosso escritório de aconselhamento é: "Perdi meu cônjuge para o bebê. Costumávamos fazer coisas divertidas juntos, mas agora é como se 'nós' não existíssemos mais. Toda nossa energia é dedicada ao bebê". Não é necessário chegar a esse ponto, mas se aconteceu, é o momento de fazer planos para que não volte a ocorrer. "Prevenir é melhor que remediar", diz o ditado. Falaremos mais a respeito de manter o casamento saudável no capítulo 11.

A questão, portanto, é: como organizar a vida para ter tempo, energia e dinheiro e usar essas coisas para manter um casamento saudável, satisfazer as necessidades pessoais de cada cônjuge e ser um bom pai ou uma boa mãe? Lembre--se que os pais vêm criando seus filhos há milhares de anos. Seria de esperar, portanto, que a vida atual fosse mais fácil, considerando toda a tecnologia que tem surgido em nossa era. A verdade, porém, é que a tecnologia talvez tenha tornado a vida mais estressante. Acredito que com autodisciplina, organização e criatividade você pode fazer da tecnologia seu ajudante, não seu chefe.

Aplicar tempo, energia e dinheiro em seu casamento e filhos, incluindo a manutenção de sua própria saúde física, emocional e espiritual, é um excelente investimento.

TROCANDO UMA IDEIA

1. Como se sentiu ao saber dos altos custos envolvidos na criação de um filho desde o nascimento até a universidade? Chocado, desanimado, deprimido? Talvez encorajado?
2. Você assumiu o compromisso de "viver de acordo com sua renda"? Se a resposta for sim, qual seu grau de sucesso até aqui?
3. Possui dívidas? Em caso afirmativo, qual é o valor total e quais são seus planos para quitar os débitos? Talvez você possa, por exemplo, renegociar o financiamento estudantil ou crédito universitário. Não se esqueça de incluir essa despesa em seu orçamento.
4. Você assumiu o compromisso de guardar 10% de sua renda? Em caso negativo, que medidas poderia tomar para que isso aconteça?
5. Você possui uma planilha orçamentária com seus gastos mensais fixos e valores destinados a alimentação, vestuário, lazer, poupança, doações etc.? Se não tem, que tal começar a registrar seus gastos a partir deste mês e verificar para onde está indo seu dinheiro?

6. Você e seu cônjuge possuem autodisciplina para cumprirem o planejamento orçamentário acordado? Pensar em ter um filho é motivação suficiente para que sejam mais disciplinados?
7. Quais ideias criativas vocês estão utilizando para esticar seu dinheiro?
8. À medida que vocês se preparam para a vida como pais, estão dispostos a explorar ideias criativas a fim de conseguir fazer mais coisas com o seu dinheiro? Se assim for, seria interessante considerar as ideias apresentadas neste capítulo, procurar informações na internet ou conversar com outros casais sobre o que eles descobriram que pode ajudar vocês.

Ah, se eu soubesse que...
NENHUMA CRIANÇA É IGUAL A OUTRA

Embora soubéssemos que cada criança é única, a tendência de comparar nossos filhos com os dos outros ainda era muito forte. É claro que, em nossa opinião, a nossa filha era mais bonita que as dos outros, e supúnhamos que era mais inteligente também. Além disso, assumimos o compromisso de sermos pais exemplares. Havia, porém, um problema: não havíamos lido nenhum livro a respeito de criar filhos nem participado de palestras sobre o assunto. Tínhamos apenas uma vaga ideia do que significava ser pai e mãe. Então, naturalmente conversávamos com outros pais a respeito de suas crianças, e acabamos assimilando as ideias deles sobre o significado de ser um bom pai. O que descobrimos foi que os conselhos que recebíamos eram conflitantes. Além de existirem ideias diferentes a respeito de como criar filhos, percebemos que nem todas as crianças são iguais.

Comparar nossos filhos com os dos outros, portanto, não ajudou muito. A armadilha da comparação pode trazer grande e desnecessário estresse emocional para os pais. Além dos conselhos conflitantes dos outros, os casais geralmente acabam descobrindo que têm suas próprias ideias acerca de como criar filhos. É por essa razão que a comunicação empática é tão importante: marido e esposa precisam ouvir um ao outro como companheiros da mesma equipe, não como competidores.

Não só comparamos nossos filhos com os dos outros, mas muitas vezes entre eles mesmos. Além de injusto com as crianças, isso resulta em frustração para os pais. Quanto mais cedo percebermos que não há dois filhos iguais, e que não devemos forçá-los a pensar e agir de forma semelhante, mais cedo nos encontraremos no caminho que conduz à boa educação.

Grande demais? Pequeno demais?

Vejamos algumas situações que demonstram a singularidade de cada criança. Depois do nascimento do bebê, qual a primeira informação que os pais comunicam à família e aos amigos? "É uma menina, pesa 3,5 quilos e mede 53 centímetros." E a resposta: "Uau, são quase as mesmas medidas do nosso bebê. Nossa pequenina pesava 3,2 quilos e media 51,5 centímetros". Conversa entre mães, óbvio. Os maridos simplesmente diriam: "É uma menina e é saudável".

Tamanho e peso geralmente são os primeiros dados que comparamos. A maioria dos pais também quer saber se o peso de seu bebê está normal. Embora se trate de um questionamento válido, esse peso "normal" pode ter grande variação. Estima-se que 95% dos recém-nascidos têm entre 2,5 a 4,5 quilos. Pesar pouco menos ou pouco mais que isso não quer dizer que há um problema sério, mas que talvez seja necessário algum cuidado especial. Médicos e enfermeiros neonatais podem ajudar muito nessa hora.

É comum o recém-nascido perder 5 a 10% de seu peso nos primeiros dias após o parto. É normal, não se apavore. Karolyn e eu não sabíamos disso e ficamos muito preocupados. Se soubéssemos, teríamos evitado nossas tantas ligações para o pediatra. Entre sete a dez dias após o nascimento, muitos bebês aumentam bastante de peso, situação que pode se repetir na terceira e na sexta semana de vida. Nesse caso, o bebê pode exigir amamentação extra e por um período maior de tempo. Se as mães não estiverem cientes desse padrão, podem ficar preocupadas. E, claro, esse padrão pode variar, pois cada criança é verdadeiramente única.

Peso e tamanho podem continuar preocupando os pais à medida que seus filhos crescem. Por exemplo, uma mãe pode ficar preocupada ao perceber que seu filho é mais baixo que outras crianças de sua turma na pré-escola. Talvez fique angustiada com a possibilidade de seu filho ser caçoado, subestimado ou se sentir inferior por causa de sua baixa estatura. Outra mãe pode ficar preocupada com o fato de seu filho ter um porte mais avantajado e, portanto, estar sujeito ao estereótipo de alguém que possui talentos atléticos, aptidão que talvez não possua.

Comparar o peso e o estilo corporal do filho com o de outras crianças pode levar os pais a se preocuparem se ele está "muito magro" ou "muito gordo", e se pode sofrer com baixa autoestima por causa de seu corpo. Ansiedades como essas às vezes surgem desde o nascimento e podem prosseguir ao longo de toda a infância, à medida que o corpo do filho se desenvolve. Para lidarem com problemas relacionados ao corpo dos filhos, os pais devem procurar aconselhamento e opinião médica com o objetivo de obter conhecimento, perspectiva e paz de espírito. O auxílio profissional pode acalmar as preocupações desnecessárias dos pais. Em casos em que a preocupação tenha fundamento, consultar esses profissionais pode resultar em ideias de como auxiliar o filho a enfrentar com êxito os desafios relacionados a peso e altura.

Adotar uma atitude positiva e lidar com a questão do corpo de forma sadia pode reduzir o estresse dos pais e também aumentar a autoestima da criança e suas habilidades de enfrentar os problemas de modo positivo.

Enjoado para comer

Os hábitos alimentares constituem outra área em que as crianças são únicas. Acabamos de observar os padrões normais de perda e ganho de peso repentinos nos primeiros dias do bebê. À medida que a criança se desenvolve e começa a se alimentar com o que costumamos chamar de "comida de bebê", a singularidade de cada uma ficará mais evidente. Algumas crianças parecem se interessar desde o início por uma grande variedade de alimentos, enquanto outras se mostram mais exigentes ou *enjoadas* quanto ao que comem. Ainda me lembro de nosso filho fazendo cara feia e empurrando a colher de vagem para o lado, e no entanto ele amava papinha de maçã.

Shannon contou que sua mãe lhe disse que a mãe dela (a avó de Shannon) levava somente sanduíche de creme de amendoim e banana para as reuniões de família, pois a mãe de Shannon não comia outra coisa. Devo confessar que, quando garoto, eu gostava muito de sanduíche de creme de amendoim e geleia, e também de bananas, quando havia.

Em relação a seus filhos, Shannon comentou: "Avery era enjoado para comer até os 8 anos. Depois disso, começou a experimentar novos alimentos. Carson continua enjoado. Seu alimento predileto ainda é sanduíche de creme de amendoim com leite. Recentemente, porém, para alegria geral, tem experimentado novos alimentos e gostou muito de brócolis com milho. Presley até agora parece gostar naturalmente de uma ampla variedade de alimentos. Nossa batalha alimentar com ela, portanto, é bem menos feroz que com os meninos".

Se formos honestos, a maioria de nós como pais também tem alguns alimentos de que não gostamos e raramente comemos — se é que comemos. Não vou revelar de quais alimentos eu não gosto, pois pode ser que sejam os seus favoritos. Nós também somos únicos quando se trata de preferências alimentares. Por exemplo, nosso neto, atualmente cursando o ensino médio, não come queijo de jeito nenhum, exceto na *pizza*.

O que os pais devem fazer? Minha sugestão é que exponham o filho a todo tipo de alimento, mas sem forçá-lo a comer do que não gostou. Deixe-o provar, mas não o force a comer o pote inteiro de papinha se ele parece querer vomitar a cada colherada. E não elogie um filho que come brócolis e outro não. Com o tempo você descobrirá opções saudáveis o suficiente para manter seu filho bem alimentado e desenvolvido. Aceite a realidade de que cada criança é diferente no que diz respeito a escolhas alimentares.

Existe quantidade "certa" de horas de sono?

Outra característica única é o padrão de sono. Embora todas as crianças necessitem dormir, a quantidade de sono e o horário de dormir variam bastante de uma criança para outra.

Nossa filha dormia dezoito horas por dia. Fiquei preocupado, pois talvez ela não estivesse recebendo estímulos físicos e mentais suficientes. Eu não sabia que recém-nascidos normalmente dormem de onze a dezoito horas por dia, e gostaria que alguém tivesse me contado antes de ela nascer. Isso teria dissipado meus medos.

Dormir é a principal atividade do cérebro ao longo da infância. Nos primeiros meses o bebê tem sono dia e noite, e seu ciclo de sono-vigília se intercala com a necessidade de alimentação e troca de fraldas. O ritmo de sono começa a se desenvolver a partir da sexta semana, e entre 3 e 6 meses de idade a maioria dos bebês apresenta um ciclo regular de sono-vigília. No entanto, esse ciclo será diferente com cada criança.

Para os pais, o mais importante é aprender os padrões de sono do bebê e saber identificar os sinais de sonolência: alguns bebês choram, outros esfregam os olhos. A maioria dos pediatras recomenda que os pais coloquem o bebê no berço assim que detectarem os primeiros sinais de sonolência, e não depois de o bebê ter pegado no sono. Isso ajuda o bebê a aprender a dormir sozinho e a retomar o sono se acordar durante a noite.

É apropriado estabelecer uma rotina de sono entre 3 e 6 meses de idade. Realizar todo dia e na mesma ordem atividades como banho, leitura, canções e oração também ajuda a preparar o bebê para a hora de dormir. Ele associará essa rotina ao sono, e isso o ajudará a se acalmar e adormecer.

> "Possivelmente o que mais nos ajudou foi perceber que muitos dos filhos de nossos amigos também não dormiam a noite inteira."

Muitas vezes, aos 6 meses os bebês dormem a noite inteira e já não precisam de alimentação noturna. Cerca de 70 a 80% dos bebês seguirão esse padrão por volta de 9 meses de idade.

Contudo, mesmo que a amamentação noturna não seja mais necessária, não significa que o bebê dormirá a noite inteira sem interrupções. Não se preocupe se isso não acontecer com você. Conforme observou Shannon: "Nossas crianças começaram a dormir a noite inteira sem interrupções somente depois dos 3 anos. Talvez devêssemos ter procurado nos informar se isso era uma possibilidade, mas não o fizemos. Depois de pesquisar várias soluções, obtivemos pouco sucesso em alterar os hábitos de sono e de alimentação deles. Por fim, aceitamos o fato de que noites mal dormidas eram parte da criação de filhos. Possivelmente o que mais nos ajudou foi perceber que muitos dos filhos de nossos amigos também não dormiam a noite inteira".

Isso afeta bastante a qualidade de sono dos pais. Aliás, é um dos primeiros desafios que todos os casais têm de enfrentar. Os pais sentem falta de sono desde os primeiros dias da chegada do recém-nascido em casa e se apegam à esperança de que boas noites de sono virão tão logo o bebê se ajuste à vida fora do útero. Em pouco tempo eles descobrem que a alimentação noturna poderá adiar essa esperança.

Se a mãe estiver amamentando, "o plantão noturno" recai sobre ela. Nesse caso, o marido pode se dispor a aliviar a carga de trabalho dela em outras atividades a fim de que a esposa possa dormir o tempo necessário. A partir do momento em que a alimentação noturna não for mais o problema, mas o bebê ainda esteja acordando no meio da noite, pai e mãe podem se revezar para atender a criança. Para casais com dois filhos pequenos, talvez seja necessário cada cônjuge tomar conta de um dos filhos. Caso o bebê acorde e passe a chorar, um dos pais tem de acudi-lo. Pode ser que a criança esteja com fome, frio, molhada ou mesmo doente. A rotina noturna de trocar fraldas e alimentar a criança deve ser feita o mais rápido e silenciosamente possível. Não ligue luzes desnecessárias, não fale alto nem brinque com o bebê. A noite é para dormir. Essa prontidão em tratar as necessidades do bebê cria nele a noção de que seus pais o amam e estão comprometidos em ajudá-lo em todas as circunstâncias. Essa forte ligação emocional entre os pais e o filho ultrapassa o custo das noites mal dormidas cuidando dele.

Sim, os filhos têm padrões diferentes de sono, exatamente como os pais. Aprender a trabalhar em equipe com o objetivo de proporcionar horas suficientes de sono um ao outro pode ser um desafio, mas é um aprendizado necessário para a saúde de todos. Ninguém pode alcançar seu potencial sem dormir adequadamente.

Meu filho vive doente?

A saúde física é a quarta característica em que as crianças são muito diferentes. Algumas são mais suscetíveis a adoecer e parecem sofrer frequentemente com alergias, vírus, resfriados, dores de ouvido etc. Outras raramente sofrem com isso. De fato, algumas crianças têm um sistema imunológico mais forte que outras. Todas, porém, adoecem de vez em quando.

Shannon comenta uma experiência não tão incomum: "Antes de nos tornarmos pais, Stephen e eu não tínhamos a mínima ideia de quanto as crianças vomitam (desculpem o assunto nojento, mas é verdade). Era vômito na cama, no carro, na piscina e nos restaurantes. E estou falando somente de vômito 'normal', não de vômito relacionado a doenças". Quem não passou por essa experiência pode se considerar felizardo. Não há criança igual a outra.

Ver um filho adoecer nunca é agradável. Afeta a rotina escolar da criança e o horário de trabalho dos pais, causando estresse e esforço extra. Quando um filho adoece, não há como seguir a vida normalmente. É importante, portanto, os pais planejarem com antecedência quem vai cuidar da criança quando ela adoecer. A boa notícia é que a maioria das doenças infantis é temporária e pode ser tratada com medicação e descanso.

Infelizmente, medicação e descanso nem sempre protegem ou curam crianças que sofrem de alergia forte ou doenças crônicas. Pais cujos filhos enfrentam esse tipo de problema devem buscar auxílio médico. Nessas circunstâncias, os pais podem sentir culpa, vergonha, raiva, depressão e outras emoções, que podem ser tratadas por meio de conversas com familiares mais chegados, amigos de confiança, pastores ou psicólogos. Não há como atender eficazmente as necessidades dos filhos sem o amor e o apoio de outras pessoas. Sábio é aquele que sempre busca auxílio.

Crianças teimosas, tranquilas e outros tipos de personalidade

Uma das diferenças mais observáveis entre as crianças é a diferença de personalidade ou temperamento. Personalidade é o padrão de comportamento com que determinada pessoa reage à vida. Por exemplo, muito se fala a respeito de crianças "teimosas" ou "tranquilas". Essas características são percebidas desde muito cedo na vida da criança e são influenciadas de modo singular pelo ambiente. Apesar de cada criança ser única, todas se encaixam em categorias comumente observadas. Vejamos algumas dessas categorias.

A primeira se refere ao *nível de atividade*. Alguns bebês e crianças são mais ativos. Estão constantemente em movimento quando acordados. Saem a explorar o mundo engatinhando e mais tarde correndo e escalando. No berço estão sempre agitando os braços e tentando alcançar os móbiles. Por outro lado, há bebês que se contentam em ficar sentados e brincar em silêncio. Exploram o mundo por meio da visão e do som. Eles não se mexem o tempo todo. Mais tarde, preferem ler um livro (caso tenham sido apresentados ao mundo da literatura) a brincar no quintal. Se os pais forem muito ativos, podem se frustrar com um filho que prefere ler a se divertir no parquinho.

A segunda categoria se refere à *intensidade da reação*. Algumas crianças exprimem emoções alto e bom som. São intensas em tudo o que fazem. Quando felizes, soltam altas gargalhadas, a ponto de alguns pais imaginarem que talvez estejam criando um futuro cantor de ópera. Quando tristes ou com raiva, gritam, atiram coisas ou batem em alguém. Na visão dos pais, parecem reagir exageradamente por causa de coisas pequenas. Crianças com intensidade de reação baixa tendem a ser mais quietas. Raramente causam tumulto e também dormem mais que a média. Têm emoções, mas não as exprimem de maneira tão intensa.

A terceira categoria se refere à *persistência*, isto é, o período da atenção. Crianças persistentes prosseguem até alcançar seus objetivos. Crianças com curto período de atenção desistem e partem para outra coisa.

A quarta categoria se refere à *reação diante de novas pessoas*. Talvez você deseje que seu pequeno sorria e faça gracinhas quando alguém novo adentra seu mundo, no entanto ele pode ser mais propenso a encarar a pessoa sem nenhuma expressão no rosto e com um ponto de interrogação nos olhos. Algumas crianças sorriem e até oferecem um aperto de mão, enquanto outras preferem se esconder atrás dos pais a interagir com outras pessoas.

A última categoria se refere à *adaptabilidade*, que é a reação às mudanças. Algumas crianças de 3 anos começam o primeiro dia de aula na pré-escola com muita alegria e logo saem a brincar com os coleguinhas. Outras choram e não largam a mão dos pais. Algumas se adaptam muito bem ao ambiente do restaurante, ao passo que outras choram e se recusam a comer. Algumas têm ataque de raiva quando recebem ordens de desligar a televisão ou o *video game*, enquanto outras se ajustam rapidamente e partem para outra tarefa.

Há muitos outros exemplos, mas creio que a ideia está clara: crianças têm personalidades diferentes. A maioria dos futuros pais não pensa muito nisso. Quando o bebê chega, nós beijamos sua cabecinha sem jamais imaginar que brigaremos com ele por desenhar na parede com giz de cera. Refletir sobre o fato de que as crianças têm personalidades diferentes ajuda a compreender o comportamento dos filhos. Não elimina a responsabilidade paterna de ensinar e educar, mas ajuda a compreender que algumas crianças terão muita dificuldade para reagir positivamente ao encontrarem novas pessoas, ou para completar tarefas ou se sentar em silêncio na igreja.

> Pode ser valioso perceber que algumas características de que você não gosta em seus filhos talvez lhes sejam úteis quando forem adultos.

É normal os pais desejarem que seus filhos fossem diferentes, quem sabe mais extrovertidos ou menos barulhentos. Embora os traços de temperamento possam ser influenciados, jamais serão eliminados. A dificuldade de alguns pais em lidar com determinadas características de seus filhos pode acontecer porque tais características fazem com que se lembrem dos próprios comportamentos de que não gostam e que gostariam de mudar. Ou talvez se sintam envergonhados por algum comportamento do filho que, na opinião deles, esteja refletindo negativamente a maneira como os educam.

Pode ser valioso perceber que algumas características de que você não gosta em seus filhos talvez lhes sejam úteis quando forem adultos. Por exemplo, crianças muito intensas geralmente se tornam adultos entusiasmados e criativos, capazes de liderar e realizar mudanças. Crianças mais lentas em aceitar pessoas ou situações podem se tornar adultos atenciosos e preocupados com os outros, características típicas de conselheiros ou cuidadores de alto nível.

Nossos filhos eram diferentes em quase tudo. Se soubesse disso antes de me tornar pai, penso que teria gastado menos tempo tentando moldar nosso filho à imagem de nossa filha. Com o tempo passamos a apreciar as diferenças de cada um, e hoje nos orgulhamos dos adultos em que se transformaram. Cada um contribui de forma positiva e única para o mundo. Espero que depois de ler este capítulo você se sinta menos inclinado a comparar seu filho com os filhos de outros casais, e menos ainda a comparar seu segundo filho com o primeiro.

TROCANDO UMA IDEIA

1. Você cresceu com outros irmãos? De que maneira é diferente de cada um deles?
2. Seus pais alguma vez compararam você a seus irmãos? Em caso afirmativo, como você se sentiu?

3. Quando criança você alguma vez se comparou a seus colegas? Em caso afirmativo, que comparações foram essas? Isso fez bem ou mal para sua autoestima?
4. Havia algum alimento que você detestava quando criança? Como seus pais reagiam a essa sua aversão? Acha que a reação deles foi benéfica para você?
5. Você se lembra de seus pais conversarem com você a respeito de seu padrão de sono quando era pequeno?
6. Que lições você pode tirar do fato de seus pais terem ou não comparado você com outras crianças?
7. Quão preparado você está para aceitar seu filho como uma criança única em cada uma das áreas que tratamos neste capítulo?
8. Talvez você e seu cônjuge possam conversar e concordar com o seguinte compromisso: "Aceitaremos nosso filho como é, sem compará-lo a outras crianças e sem tentar impor a ele nossas ideias pré-concebidas sobre o que significa ser um filho perfeito".

Ah, se eu soubesse que...
ENSINAR A CRIANÇA A IR AO BANHEIRO É COISA SÉRIA

Confesso que jamais pensamos nisso antes de nos tornarmos pais. Embora soubesse que crianças não usam fraldas para sempre, não tinha a menor ideia de quando ou como essa transição ocorreria. Porém, bastou trocar algumas fraldas para eu perguntar à minha esposa por quanto tempo teríamos de fazer aquilo. Qual é o momento de o bebê aprender a usar o peniquinho? Como ensiná-lo? Mal sabia que se tratava de um assunto seriíssimo.

Espero que este capítulo o auxilie a estar mais bem preparado do que eu estava. Shannon e eu recomendamos a nossos clientes que se preparem para esse processo. O primeiro passo é entender que a perspectiva dos pais poderá ser muito diferente da dos filhos. Os pais provavelmente considerarão esse processo uma coisa fácil e desejável. Por exemplo, talvez digam ao filho: "Você já está bem crescido. Não vai mais querer

AH, SE EU SOUBESSE!

usar fraldas sujas e molhadas, não é? Então vamos lá, você consegue". Em contrapartida, a criança pode se sentir confusa ou assustada com a ideia de se sentar em uma privada. Talvez passe pela cabeça dela o seguinte pensamento: "É para eu fazer o *quê*? Não vou sentar nisso aí, não! E se eu cair lá dentro? As fraldas estão funcionando muito bem, obrigado".

Considerar a perspectiva da criança pode ajudar os pais a encontrar uma abordagem mais paciente e carinhosa para ensiná-la a usar o banheiro, o que é sem dúvida uma mudança enorme para a criança. A habilidade dos pais para identificar até que ponto o filho está disposto a se ajustar a essa mudança pode tornar o processo mais fácil para todo mundo.

Um dos erros mais comuns cometidos pelos pais é começar o treinamento cedo demais. Ansiosos para se livrarem das fraldas, os pais começam a instigar a criança a fazer algo que ela ainda não é capaz de fazer. Conforme vimos no capítulo anterior, cada criança é única. Algumas são capazes de começar a treinar o uso do penico aos 18 meses; outras não estarão prontas até completarem 3 anos. Então, como saber a hora certa de começar o treinamento?

Você está pronto?

Em primeiro lugar, observe seu filho. Há alguns sinais de que a criança está crescida o suficiente para iniciar o aprendizado: quando começa a comunicar que a fralda está suja, talvez apontando para a fralda que está usando ou trazendo uma limpa para os pais; quando, depois de observar os pais ou os irmãos utilizando o banheiro, começa a demonstrar interesse em fazer o mesmo, talvez por meio de perguntas, de seu interesse no papel higiênico ou pelo desejo de acionar a descarga; ou ainda quando a fralda estiver seca ao final de uma longa soneca matinal ou vespertina. Esses são alguns sinais de que a criança está suficientemente crescida para começar o uso do peniquinho. Iniciar esse processo cedo demais poderá torná-lo mais extenso, causando frustração para os pais e para a criança.

Depois de observar se a criança está pronta, a segunda questão é: *você* e seu cônjuge estão prontos? Não iniciem o processo caso tenham trocado de babá, caso um dos dois tenha mudado de emprego recentemente ou caso estejam planejando se mudar em algumas semanas. Em todos esses casos,

> Quanto mais nova for a criança quando você começar o treinamento, mais tempo pode levar para que ela alcance o objetivo.

sugiro que o início do treinamento seja adiado. Outra pergunta: vocês estão preparados física, emocional e mentalmente para a tarefa? Lembre-se que estamos falando de um assunto muito sério. Talvez você conheça algum casal amigo que treinou os filhos em questão de uma ou duas semanas. Não conte com isso. Sem dúvida haverá percalços pelo caminho. Pode levar de três a cinco meses até seu filho controlar a bexiga e o intestino de modo consistente. Quanto mais nova for a criança quando você começar o treinamento, mais tempo pode levar para que ela alcance o objetivo. Portanto, prepare-se para uma maratona. Se a prova for mais curta, então você pode comemorar.

Quando os pais e o filho estiverem prontos para iniciar o treinamento, um dos primeiros passos é comprar um troninho ou um assento infantil adaptado para o vaso sanitário. A maioria dos peritos no assunto aconselha optar pelo troninho. A escolha, porém, é dos pais. Caso prefira o adaptador, certifique-se de que seja confortável e que se encaixe no vaso firmemente. Também haverá necessidade de instalar uma escadinha para facilitar o acesso à privada e uma plataforma para os pés, de modo que a criança tenha onde se apoiar ao forçar a motilidade intestinal.

Depois de tudo preparado, por onde começar? Creio que a literatura é uma forma fácil e interessante de estimular o interesse de seu filho. Há muitos livros disponíveis sobre o assunto.[1] Uma animação produzida pela Disney, chamada *Nina Needs to Go* [Nina precisa ir ao banheiro], também é uma maneira excelente de estimular conversas com seu filho. Materiais ilustrados e escritos em linguagem adaptada para o público infantil apresentam esse conceito de um jeito divertido, além de estimular o esforço da criança.

Depois que a criança adquire certa noção sobre o assunto, os pais também podem estimular o interesse dela permitindo que observe a transferência do cocô da fralda para o vaso sanitário e em seguida deixá-la acionar a descarga. As crianças parecem se interessar pela descarga antes mesmo de utilizar o toalete. Essa experiência expande o conceito da criança a respeito do lugar correto para o destino das fezes e a função do vaso sanitário.

Hora de sentar!

Em algum momento os pais precisam estimular a criança a se sentar no troninho ou no assento adaptado para o vaso. Alguns pediatras recomendam que inicialmente a criança sente-se no troninho vestida. O objetivo é ajudá-la a ficar confortável. Depois, peça que se sente sem roupa ou sem fralda. Caso perceba muita resistência, melhor interromper o treinamento e tentar novamente uma semana depois. Uma queda de braço com seu filho tornará o processo mais vagaroso.

Alguns pais pegam o bichinho de pelúcia preferido da criança e o colocam sentado em uma imitação de troninho, enquanto a criança se senta no penico. Dessa forma a criança e seu bichinho estarão fazendo a mesma coisa.

Comprar uma cuequinha para seu "garotão" ou uma calcinha para sua "garotona" também pode ser um bom incentivo. Peças íntimas para crianças geralmente vêm decoradas com personagens de desenho animado que elas conhecem. Dizer à criança que ela poderá vestir a cueca/calcinha quando aprender a usar o penico pode ser uma boa maneira de incentivá-la.

Estabelecer uma rotina para que a criança se sente no penico todos os dias em horários determinados pode ajudá-la a se concentrar no treinamento. Mesmo que não funcione, a criança está aprendendo que ir ao banheiro faz parte da vida. Alguns pais incentivam o filho a folhear livros no toalete. Em minha opinião, esse recurso pode ajudar ainda mais se os livros tratarem desse assunto.

Caso a criança ainda não tenha utilizado o penico depois de se sentar sem a fralda, alguns pais perceberam que, se a deixam brincar sem fraldas, ela corre para o troninho quando sua bexiga está cheia. O primeiro xixi no penico será um marco importante para os pais. O segundo marco ocorrerá quando o intestino funcionar no banheiro. Daí para a frente, vocês estarão a caminho do sucesso. Contudo, não espere perfeição. Estar a caminho não é a mesma coisa que cruzar a linha de chegada. Haverá falhas e muita sujeira para limpar. Mas, com o passar dos dias e das semanas (em alguns casos, meses), seu filho adquirirá cada vez mais controle.

Durante a noite

Depois de estabelecido o aprendizado diurno, é hora de pensar no treinamento noturno. Não quero desanimá-lo, mas isso poderá levar ainda mais tempo. Tudo depende do tipo de sono (leve ou pesado) da criança e da capacidade de sua bexiga reter bem a urina. Talvez seja interessante experimentar algumas noites sem o uso da fralda (lembre-se de proteger o colchão). Se não der certo, volte para as fraldas. Diga a seu filho que ele ainda não está preparado, mas que vocês tentarão novamente daqui um mês.

Uma medida que pode ser útil é pedir à criança que vá ao banheiro imediatamente antes de ir para a cama. Reduzir a quantidade de líquidos que ela ingere antes de dormir também pode ajudar. No entanto, não entre em pânico caso seu filho não se saia bem de imediato. Os pediatras indicam que algumas crianças molharão o colchão de vez em quando durante meses e, às vezes, anos. Sei que você espera que seu filho não faça parte desse grupo, mas não é algo incomum.

Atitudes saudáveis e boas práticas

Shannon e eu recomendamos a seguir algumas atitudes e práticas para você que está enfrentando o desafio de ensinar seu filho a ir ao banheiro. Trata-se de uma questão séria, e cremos que essas ideias o ajudarão nessa empreitada. Quem dera eu soubesse essas coisas antes de Karolyn e eu nos tornarmos pais.

Mantenha expectativas saudáveis. Lembre-se que cada criança é única. Não force seu filho a ficar no penico. Em sua frustração, você pode achar que é necessário agir dessa maneira, mas forçá-lo pode atrasar o processo. Se o nível de frustração se elevar a tal ponto que você ache que precisa forçar seu filho ou ameaçá-lo com castigo ou perda de privilégios por ele não usar o penico, considere "dar um tempo" para recuperar a compostura e a perspectiva. Não tenha medo, em algum momento as crianças aprendem a ir ao banheiro. Expectativas saudáveis dos pais podem trazer resultados positivos para eles mesmos e para os filhos.

Divirta-se. Manter uma atitude divertida sempre que possível pode ajudar a tornar o treinamento positivo. Alguns pais procuram deixar a coisa mais divertida por meio de músicas. Tente, por exemplo, adaptar a melodia da música "As rodas do ônibus" para a seguinte letra: "Fazer xixi é no peniquinho, no peniquinho, no peniquinho. Fazer xixi é no peniquinho... que o papai comprou". Muitas melodias infantis podem ser adaptadas e reescritas para ajudar no treinamento. Estratégias divertidas como essa podem afastar grande parte da ansiedade da criança.

Recompense apropriadamente. Até mesmo a recompensa mais simples pode ser um incentivo para seu filho continuar se esforçando. Um adesivo especial, um pacote de bolachas ou qualquer coisa de que seu filho goste, tudo vai motivá-lo. Existem muitas possibilidades de recompensas. Basta pensar em algo apropriado em termos de praticidade, custo e sensatez. É possível até mesmo recompensar a mera tentativa da criança, mesmo sem nenhum resultado. Um aviso: não exagere nas recompensas. Barras de chocolate inteiras ou brinquedos caros transmitem uma mensagem equivocada. A criança poderá usar isso contra você mais tarde. "Farei isso e aquilo se eu ganhar uma bicicleta nova." Isso se chama manipular os pais.

Conte com o fracasso. Lembre-se que este é um assunto sério. A criança poderá falhar muitas vezes antes de aprender definitivamente. Contar com o fracasso é benéfico para os pais. Por exemplo, espere por cuecas/calcinhas sujas e molhadas, além de outros acidentes pelo chão de casa e em locais públicos. Saber que essas e outras falhas podem ocorrer faz com que os pais abordem o treinamento com mais realismo, evitando frustrações desnecessárias tanto para eles mesmos como para os filhos.

Esteja preparado para quando a criança precisar ir ao banheiro, especialmente em locais públicos. Shannon comenta uma de suas experiências: "Stephen e eu achamos impressionante como nossos filhos pedem para ir ao banheiro justamente quando o garçom traz o pedido ou quando estamos no meio do trânsito. Não bastasse isso, eles possuem a capacidade incrível de ir várias vezes ao toalete durante uma apresentação musical ou evento esportivo, e justamente na hora da nossa música favorita ou de uma jogada importante". Enfim, se a criança precisa ir banheiro, os pais devem estar prontos para acompanhá-la.

Ainda uma palavra a respeito de banheiros públicos. É impraticável ficar o tempo todo em casa durante o processo de treinamento. Não deixe que o aprendizado o impeça de viajar ou ir ao restaurante. Em vez disso, prepare-se para essas ocasiões. Leve o troninho ou o adaptador sanitário, além de papel descartável para cobrir o assento e gel desinfetante para as mãos. Sem dúvida você se preocupa muito com a saúde de seu filho, mas, com o passar do tempo, será capaz de superar "fobias microbianas" e apreciar a conveniência dos banheiros públicos.

Seja paciente. Mais cedo ou mais tarde seu filho aprenderá a usar o banheiro sozinho, a não ser nos raros casos em que problemas médicos ou deficiências físicas o impeçam. Nesse tipo de situação, os pais precisam buscar orientação médica profissional a fim de auxiliar a criança a alcançar seu máximo potencial nessa área.

Mais comum, porém não menos desafiador, é o fato de algumas crianças, ainda que devidamente treinadas, molharem a cama por razões que podem ou não ter ligação com algum problema físico. Em uma situação como essa, que pode persistir até a adolescência, seria interessante considerar o uso de cuecas/calcinhas absorventes projetadas especificamente para crianças com esses problemas. Pais que enfrentam essa situação devem buscar orientação profissional, incluindo o pediatra da criança e consultas a *sites* especializados. Independentemente da causa ou duração da dificuldade, o equilíbrio entre ser paciente e tratar o problema será benéfico para pais e filhos em longo prazo.

> Procure até os menores avanços ao longo do caminho e comemore-os.

Comemore os sucessos. Não espere atingir o objetivo final. Procure até os menores avanços ao longo do caminho e comemore-os com abraços, pulos, danças, enfim, qualquer manifestação que transmita seu orgulho pelos progressos de seu filho. Afinal de contas, todo o esforço que vocês têm dedicado ao treinamento é digno de comemoração!

Muito tempo depois do aprendizado do peniquinho, essa experiência será rememorada como o primeiro esforço colaborativo entre pai/mãe e filho para a solução de um problema. Por mais desafiador que esse treinamento tenha sido, você será para ele um exemplo de virtudes como paciência, persistência, estímulo, esperança e a alegria de realizar um objetivo. A experiência que você e seu filho obterão será utilizada em outras situações problemáticas que surgirão ao longo da infância.

Lembre-se que milhões de pais conseguiram ensinar os filhos a usarem o banheiro. Com você não será diferente. Afinal, você também passou por isso quando criança, embora hoje, adulto, provavelmente não tenha muitas recordações daquela experiência. Talvez nem mesmo seus pais se lembrem disso. Portanto, coragem. Você consegue. Quem sabe até solte algumas boas risadas quando passar pelas experiências descritas neste capítulo.

TROCANDO UMA IDEIA

Antes de o bebê nascer, é provável que nem passe pela sua cabeça treiná-lo para usar o banheiro. Mas, para quando esse momento chegar, seguem algumas coisas que podem ser úteis.

1. Leia este capítulo novamente e sublinhe as ideias práticas que sugerimos.
2. Pergunte a seus pais se eles se lembram de quando você estava aprendendo a usar o banheiro, que técnicas eles utilizaram e quanto tempo durou o processo.
3. Converse com casais que se saíram bem no treinamento do peniquinho. Que técnicas eles utilizaram? Quanto tempo durou o processo? (Lembre-se que nenhuma criança é igual a outra.)
4. Pesquise e leia artigos *on-line* sobre desfraldamento.
5. Converse com seu cônjuge a respeito dos prós e contras do troninho e do assento adaptável para vaso sanitário.
6. Pratique a canção que sugerimos utilizando a melodia da música "As rodas do ônibus": "Fazer xixi é no peniquinho, no peniquinho, no peniquinho. Fazer xixi é no peniquinho...

ENSINAR A CRIANÇA A IR AO BANHEIRO É COISA SÉRIA

que o papai comprou". (Para quem gosta de uma boa risada, sugiro cantar junto com o cônjuge.) Um dia vocês terão a oportunidade de cantar para seu filho.

7. Cultive uma atitude positiva e lembre-se: mais cedo ou mais tarde, seu filho aprenderá a usar o toalete.

Ah, se eu soubesse que...
CRIANÇAS PRECISAM DE LIMITES

Num sentido geral, eu acho que tinha consciência de que os pais são responsáveis por estabelecer regras para proteger e orientar seus filhos até a maioridade. Apenas não sabia que o processo começava tão cedo e que seria tão longo. Estamos falando de uma tarefa com dezoito anos de duração, dos quais os primeiros dez são os mais importantes. Na verdade, seu esforço para ajudar seu filho a viver dentro de limites saudáveis até por volta de 10 anos determinará, em grande parte, a qualidade do relacionamento entre vocês quando ele for adolescente.

A ideia de estabelecer limites saudáveis tem origem na preocupação com o bem-estar da criança. Não estamos falando de regras arbitrárias passadas de geração para geração. Trata-se do desejo de ver os filhos protegidos, saudáveis e capazes de tomar boas decisões. O objetivo é que se tornem adultos responsáveis e disciplinados que venham a impactar o mundo positivamente. Acontece que o desafio de conduzir a criança por esse caminho muda de ano para ano à medida que a cultura se transforma. Aliás, a própria cultura impõe, de tempos em tempos, novas regras para a segurança das crianças. Shannon chamou minha atenção para o fato de que o leitor deparará com a necessidade de limites tão logo sair do hospital com o bebê, quando terá de colocá-lo na cadeira automotiva planejada especificamente para esse fim.

> Seu esforço para ajudar seu filho a viver dentro de limites saudáveis até por volta de 10 anos determinará, em grande parte, a qualidade do relacionamento entre vocês quando ele for adolescente.

Onde tudo começa

Nos Estados Unidos, pais que dão à luz em hospitais devem provar à equipe da maternidade que possuem a cadeira automotiva e que o bebê está apropriadamente acomodado no assento antes de deixar o hospital. A Administração Nacional de Segurança Rodoviária estipula que crianças que viajam em veículos automotores estejam devidamente acomodadas em cadeiras especiais até atingirem o tamanho suficiente para se sentarem no assento regular do carro com o cinto de segurança afivelado de forma correta. Essa lei não existia quando tivemos nosso primeiro bebê. No entanto, leis como essa estão fundamentadas em dados rigorosos associados à segurança das crianças em nosso mundo moderno.[1]

O bebê provavelmente não se importará em ser colocado na cadeirinha quando sair do hospital, embora seja possível que chore por alguns minutos. À medida que cresce, porém, nem sempre seu filho se agradará de ser afivelado ao assento especial. Crianças entre 1 e 3 anos estão mais interessadas em exercitar a vontade própria e os desejos de liberdade do que em cumprir as regras dos pais. Em situações como essa, eles se veem obrigados a impor o uso da cadeirinha a uma criança que não entende nem se importa com questões de segurança. O que fazer?

É necessário autodisciplina para impor os limites exigidos pelas leis, com a consciência de que elas existem para a segurança dos filhos. Shannon compartilhou comigo duas de suas frases favoritas para essa situação: "Posso colocar você na cadeirinha ou quer entrar nela sozinho?" e "Vamos ver se você consegue subir sozinho na cadeirinha antes de eu contar até cinco? Um, dois, três...". Táticas adequadas à idade da criança dão a ela a oportunidade de participar da decisão. Nesse caso, tanto pais como filhos saem "ganhando".

No final das contas, é óbvio que a criança tem de se sentar na cadeirinha. Portanto, caso a persuasão não funcione, os pais devem, com muito cuidado e amor, usar de seu tamanho e força física para auxiliar a criança a se acomodar no assento reservado a ela. Lembre-se que isso deve ser feito em amor, não com raiva. Pais que agem com raiva podem, sem querer, machucar fisicamente a criança ao acomodá-la na cadeirinha.

Não desanime! A partir dos 4 anos a criança normalmente está apta a afivelar-se e desafivelar-se da cadeirinha com pouca ou nenhuma ajuda dos pais. Os pais podem saudar essa conveniência, mas com o desenvolvimento da independência do filho surge um novo inconveniente: a capacidade dele de soltar o cinto de segurança sem permissão. Comentando uma de suas experiências, Shannon relata: "Já tivemos de parar o carro inúmeras vezes para chamar a atenção de uma das

CRIANÇAS PRECISAM DE LIMITES

crianças e dizer que não poderíamos seguir viagem sem que ela estivesse afivelada no assento. Costuma funcionar, especialmente se estivermos a caminho da sorveteria. Claro, se não funcionar, voltamos a exercer nossa autoridade parental (que eu espero que seja amorosa e gentil)".

Por que dediquei tanto espaço para tratar da cadeirinha automotiva? Porque é onde tudo começa: naquele primeiro dia em que você leva o bebê de carro para casa. É a primeira vez que seu filho terá contato com os benefícios da imposição de limites em conformidade com a segurança e as leis do país. Submissão às leis e às regras culturais é importante para que a criança se torne um cidadão responsável.

Antes de estudar aconselhamento, cursei faculdade e mestrado em antropologia cultural. Descobri que não existe nenhuma cultura sem um código de conduta moral. Em cada cultura existem regras para o que as crianças podem ou não fazer, e o mesmo vale para os adultos. Os pais desempenham o papel mais importante na introdução dos filhos aos padrões gerais de conduta aceitos pela sociedade.

> Em meus estudos de antropologia cultural, descobri que não existe nenhuma cultura sem um código de conduta moral.

Um bebê não é capaz de decidir por si mesmo, e sem as instruções dos pais a criança não sobrevive até a fase adulta. Durante a infância, os pais devem impor regras e controlar todo o comportamento do filho. Significa, por exemplo, não deixar que o bebê ponha a mão no fogo, por mais que seja atraído pelas chamas. Mais tarde, quando estiver andando, deverá ser mantido longe da rua para que não corra o risco de ser atropelado. Além disso, os pais devem guardar remédios ou substâncias tóxicas fora do alcance da criança.

A realidade das regras

Depois desse estágio infantil que requer controle total, os pais começam a auxiliar a criança a desenvolver autodisciplina. Todas as crianças têm de percorrer esse caminho, e os pais devem aceitar a responsabilidade de conduzi-las. É uma tarefa grandiosa e que exige sabedoria, imaginação, paciência e muito amor. Espero que este capítulo o auxilie a estar mais bem preparado para isso do que eu estava quando minha primeira filha nasceu.

Vamos começar com uma simples realidade: os pais são mais velhos que seus filhos. Por terem mais idade, presumimos que tenham mais sabedoria. Assim, eles criam regras que consideram melhores para seus filhos. Os pais de hoje, cansados e atarefados, acham mais fácil permitir que seus filhos fiquem acordados até tarde ou se alimentem de porcarias industrializadas. Também há pais que abusam de sua autoridade. O maior perigo, porém, é criar os filhos sem impor aqueles limites de que necessitam tão desesperadamente. Em uma família saudável e amorosa, a autoridade é exercida para o bem das crianças. Pais comprometidos com os mais elevados padrões éticos e morais transmitem virtudes como bondade, amor, honestidade, perdão, integridade, trabalho árduo e respeito ao próximo. Crianças que obedecem a pais assim colherão muitos benefícios por viverem debaixo de uma autoridade saudável.

Todavia, antes de falarmos da criação de regras saudáveis, gostaria de tratar de um assunto importante: os pais precisam fazer distinção entre comportamento apropriado à idade da criança e mau comportamento. Comportamento apropriado à idade se refere ao interesse da criança em descobrir o funcionamento do mundo. Por exemplo, uma criança de 1 ano fazendo bagunça com a comida; uma de 2 anos dizendo não às ordens dos pais em razão de estar aprendendo a falar; uma de 3 anos espirrando água da banheira simplesmente por ser divertido. Crianças mais velhas podem utilizar objetos domésticos para construir castelos no quarto, riscar acidentalmente a mesa enquanto brincam de pintar, ou riscar sem querer o carro dos pais por andarem de bicicleta muito perto do veículo.

Embora esse tipo de comportamento possa aborrecer os pais (e que sem dúvida representa uma excelente oportunidade para ensinar aos filhos o que é ou não aceitável), não se trata de mau comportamento. É simplesmente a conduta esperada para a idade deles. Estão apenas explorando o mundo à sua volta, divertindo-se, desenvolvendo suas capacidades físicas e cognitivas e, por meio disso, tornando-se menos desajeitados e mais aptos a aprender, obedecer às regras e atender expectativas. Em razão dessa realidade, é sábio agir com paciência e refletir a respeito dos aspectos comportamentais associados ao desenvolvimento natural da criança antes de julgar a conduta dela como mau comportamento.

> A criança fica mais propícia a se comportar mal quando o nível de seu tanque de amor está baixo.

À medida que os pais prosseguem ensinando regras e expectativas, e à medida que os filhos se tornam mais aptos a discernir o certo e o errado, os pais adquirem cada vez mais sabedoria em distinguir entre o bom e o mau comportamento.

Todo mau comportamento, isto é, quando a criança transgride conscientemente uma regra, deve ser analisado. Uma excelente pergunta inicial é: "Por que meu filho fez isso?". Alfred Adler, conhecido pioneiro da psiquiatria, sugere quatro possibilidades: busca de atenção, disputa de poder, vingança e sentimento de inadequação. A esses eu acrescentaria necessidade de amor. A criança fica mais propícia a se comportar mal quando o nível de seu tanque de amor está baixo. Compreender o motivo do mau comportamento ajuda os pais a reagirem de maneira positiva.

Adler sugere que prestar atenção à própria reação emocional diante do mau comportamento da criança ajuda a determinar o que se passa dentro dela. Caso o mau comportamento tenha sido motivado por necessidade de atenção, é provável que o pai fique irritado. Caso se trate de disputa de poder, o pai provavelmente ficará com raiva e assumirá uma postura de combate. Caso se trate de vingança, o pai se sentirá magoado e talvez humilhe a criança. Caso se trate de inadequação, o pai talvez se sinta impotente e emocionalmente desconectado. Ao entrar em contato com os próprios sentimentos, o pai pode compreender melhor o comportamento de seu filho e reagir de maneira mais eficaz em vez de bajular, oprimir, humilhar ou evitar a criança.[2]

Tratemos agora do dever de estabelecer limites saudáveis. Limites são regras criadas pelos pais para todo o período de desenvolvimento da criança. Esses limites precisam vir acompanhados das respectivas consequências. A criança precisa aprender que cada comportamento produz uma consequência: obedecer traz consequências positivas, desobedecer traz consequências negativas. Esse processo está fundamentado em três elementos: estabelecer regras, determinar consequências (boas e ruins) e aplicar disciplina. A seguir examinaremos cada uma delas.

Estabelecer regras

Fazer ou não fazer, eis a natureza das regras. Regras são normas para orientar a vida em família. Em nossa casa algumas das coisas que não fazemos são: mascar chiclete à mesa, quicar bola de basquete na cozinha, deixas velas acesas ao sair de casa, pular no sofá ou maltratar o cachorro. Há também coisas que temos de fazer: guardar as ferramentas depois de utilizá-las, guardar os brinquedos depois de terminada a brincadeira, desligar as luzes ao sair de um cômodo, colocar as roupas sujas na lavanderia e pedir licença para sair da mesa durante as refeições. Todas as famílias possuem regras, mas nem toda família possui regras saudáveis.

Regras saudáveis apresentam quatro características: são *intencionais*, *recíprocas*, *razoáveis* e *dialogadas* em família. Regras intencionais são normas pensadas e planejadas. Não nascem por mera frustração do momento, mas por meio de muita reflexão a respeito do motivo de sua existência, de seu propósito, e se de fato será benéfica a todos.

Quando as regras são intencionais, isso quer dizer que não adotamos normas transmitidas pelas gerações anteriores simplesmente porque era assim que se fazia. Por exemplo, tínhamos uma regra que estipulava "não cantar à mesa". Um belo dia Karolyn me perguntou a razão dessa regra. Respondi que era assim na casa dos meus pais. "Na casa dos meus pais também", replicou ela, "mas qual o problema em cantar à mesa? É uma demonstração de alegria. Quero que nossos filhos tenham boas memórias ao redor da mesa." Não consegui pensar em uma boa resposta. Portanto, eliminamos a regra.

Regras saudáveis envolvem a participação mútua do pai e da mãe. Cada um de nós cresceu em famílias diferentes e, portanto, obedeceu a regras diferentes. Consequentemente, a tendência é marido e esposa trazerem regras herdadas para o casamento. Sempre haverá conflito caso essas regras não se harmonizem entre si. A fim de resolver essa situação, pai e mãe devem ouvir um ao outro, tratar-se com respeito e procurar uma solução com que ambos concordem. Por exemplo, se a mãe considera arrotar uma grosseria, mas o pai pensa ser algo inofensivo, poderiam proibir arrotos dentro de casa e no carro, mas permiti-lo no quintal. Seja como for, não discordem nem discutam essas regras na frente dos filhos, pois isso pode confundi-los e levá-los a entrar na discussão.

Regras saudáveis também são razoáveis, ou seja, têm uma função positiva. O fundamento delas está no seguinte pensamento: "Essa regra é boa para meu filho? Terá algum efeito positivo na vida dele?". Eis algumas questões práticas para refletir durante a análise de uma regra específica.

- Mantém a criança fora de perigo?
- Ensina algum traço de caráter positivo (honestidade, trabalho, bondade, solidariedade etc.)?
- Protege a propriedade?
- Ensina a ter responsabilidade?
- Ensina boas maneiras?

Esses fatores são de grande interesse para os pais. Desejamos afastar nossos filhos do perigo. Por exemplo, não queremos que o mais novo seja atropelado, nem que o mais velho se envolva com drogas. Também é do nosso interesse que as crianças tenham bom caráter, em conformidade com os valores da família. Queremos que respeitem a propriedade alheia (nesse caso, estabelecer uma regra para não brincarem de beisebol no quintal pode evitar que quebrem a janela dos vizinhos) e que aprendam a cuidar de suas coisas (nesse caso, seria proveitoso estabelecer uma regra para guardarem a bicicleta durante a noite).

Regras saudáveis também são explicadas claramente. Regras não declaradas são regras injustas. Não se pode esperar que a criança viva de acordo com um padrão que ela desconhece. Os pais têm a responsabilidade de garantir que seus filhos entendam todas as regras e que, à medida que amadurecem, compreendam a razão da existência dessas regras.

Durante o processo de criação das regras da família é totalmente válido consultar outros pais, professores, parentes e também livros e revistas. Para criar boas regras os pais precisam de todo conhecimento que puderem obter.

Determinar consequências

Uma placa rodoviária informava: "Multa de 250 dólares por excesso de velocidade", e eu, sem nenhuma vontade de jogar esse dinheiro pela janela, tirei o pé do acelerador. A violação das regras civis geralmente traz consequências negativas. Um dos problemas de nossa sociedade é o abafamento, em anos recentes, das consequências do mau comportamento por meio de longos e tediosos procedimentos judiciários que, não raro, resultam em punições ínfimas. Creio que essa situação contribuiu para o aumento da desobediência civil ao longo das últimas décadas. A melhor motivação para a obediência é a aplicação rápida e firme das consequências da transgressão.

Esse princípio também se aplica à família. É no lar que se aprende a obedecer por meio das consequências da desobediência. O ensino efetivo da obediência exige que o transgressor sofra o desconforto das consequências de sua infração.

Existem dois tipos de consequências: a natural e a lógica. A consequência natural se refere aos efeitos inerentes da infração. Nesse caso, os pais não precisam aplicar nenhuma punição. Por exemplo, uma criança que se recusa a comer o jantar preparado pelos pais terá fome mais tarde (consequência natural). Os pais podem permitir esse tipo de comportamento porque mais cedo ou mais tarde a criança terá de pedir alimento. Quando isso acontecer, podem explicar que ela está com fome por não ter jantado e informar que a próxima refeição será servida somente na manhã seguinte. Caso você considere essa atitude cruel demais, poderá oferecer um lanchinho e informar que na próxima recusa o lanche será ainda menor. Perder uma refeição não causará nenhum mal à criança e ensinará a ela que existem horários corretos para fazer as refeições em casa. Em casos como esse, não há nenhuma necessidade de persuadir, subjugar, envergonhar nem isolar a criança por não querer se alimentar. Basta aceitar a decisão que ela tomou de não comer e aguardar o momento apropriado para instruí-la.

Em outras situações pode ser melhor optar pela consequência lógica, isto é, a consequência que tem uma relação lógica com a transgressão. Por exemplo, a criança usa algum brinquedo ou aparelho eletrônico e depois o larga em algum canto. A regra da casa, porém, especifica retornar tudo "ao seu devido lugar" depois da brincadeira. Caso a criança desobedeça, perde o privilégio de brincar com aquele objeto no dia seguinte. A perda do privilégio pode ser frustrante o suficiente para que ela aprenda a cuidar das coisas.

Recomendo fortemente que os pais estipulem consequências para cada uma das regras da casa e depois as informem aos filhos. Por exemplo, se uma regra proíbe jogar bola dentro de casa, a consequência de transgredi-la será guardar a bola por dois dias. E caso a criança tenha quebrado alguma coisa, o pagamento sairá da mesada dela. Regra clara com consequências claras. Todos os membros da família estão cientes. Portanto, se houver alguma infração, pai e mãe saberão perfeitamente o que fazer e o filho saberá exatamente o que esperar. Nesse caso, os pais estarão menos propensos a se irritarem com a criança (p. ex., esbravejando ou falando alto) e mais propensos a aplicar as consequências com amor. Isso nos leva à terceira característica dos limites sadios.

Aplicar disciplina gentilmente, mas com firmeza

A palavra-chave aqui é coerência. Disciplinar um dia e deixar a transgressão impune no outro deixará a criança confusa. "Afinal, é uma regra ou não? Tem consequências ou não?", talvez seja o pensamento dela. Os pais, portanto, precisam evitar que seu estado emocional determine como e quando disciplinar os filhos.

> Disciplinar um dia e deixar a transgressão impune no outro deixará a criança confusa.

Essa é a importância de estabelecer consequências lógicas antes que a transgressão ocorra. Pai e mãe não precisarão olhar um para o outro com cara de "e agora?", pois já saberão o que fazer: simplesmente aplicar a disciplina com bondade e firmeza.

Em *As 5 linguagens do amor das crianças*, o dr. Ross Campbell e eu incentivamos os casais a "embrulhar" a disciplina em amor, ou seja, falar a linguagem do amor principal da criança antes e depois da disciplina. Por exemplo, caso a linguagem do amor principal da criança seja palavras de afirmação e ela tenha transgredido a regra de jogar bola dentro de casa, os pais podem dizer: "Filho, estou muito orgulhoso de você. Raramente transgride as regras da casa e isso é excelente, mas você violou a regra de jogar bola em casa e sabe muito bem as consequências disso, não sabe?". É possível que ele responda: "Sei sim, pai, me desculpe, eu esqueci". Nesse caso, o pai pode responder: "Sim, filho, acontece, mas a bola ficará guardada por dois dias. Que bom que você não quebrou nada. Estou muito orgulhoso, pois na maioria das vezes você obedece às regras. Amo você". Ele entregará a bola com ar de tristeza, mas se sentirá amado e estará ciente de que violar as regras sempre traz consequências.

É impossível mensurar o valor de estabelecer limites para os filhos, não apenas para a segurança deles, mas para a edificação do caráter, da autoestima e da capacidade de tomar decisões. Muitos pais oferecem pouca ou nenhuma resistência quando seus filhos ultrapassam os limites. Andam tão cansados com a correria diária a ponto de pensarem que não vale a pena o esforço e, esmorecidos, deixam os filhos fazer o que quiserem.

Toda vez que ultrapassa um limite, a criança se sente insegura. Ela empurra inconscientemente esses limites na esperança de que permaneçam firmes. Quando os pais cedem, o mundo da criança desmorona. Certa vez atendi um jovem de 15 anos que me disse: "Ainda existe alguém que se importe com alguma coisa? Dependendo da situação, parece que todos são coniventes com tudo. Gostaria que os adultos nos dessem mais orientação. Não aprenderam nada durante a vida deles que nos ajude a evitar os mesmos erros?". Esse jovem percebeu a importância de ter limites, ainda que seus pais não tenham percebido.

Espero que este capítulo o ajude a estabelecer limites saudáveis para seu filho. Poucas coisas são tão importantes para o papel de pais.

TROCANDO UMA IDEIA

1. Se estiver aguardando o nascimento de seu bebê, é hora de comprar a cadeirinha para quando chegar o momento de levá-lo para casa. Outra opção é passar o modelo de uma cadeirinha de que gostou para alguém que esteja disposto a presenteá-lo com esse objeto muito necessário.
2. Junte-se com seu cônjuge e façam uma lista das regras às quais cada um teve de obedecer na infância. Verifiquem quais delas podem ser aplicadas a seu filho.
3. Existem outras regras que você acha que serão importantes na criação de seu filho?
4. Converse com seu cônjuge a respeito das consequências lógicas das regras que seu filho possivelmente venha a transgredir.
5. Seus pais chegaram a apresentar a você as consequências de desobedecer às regras da casa? Em caso negativo, lembra-se de como reagiam quando você as transgredia?
6. Alguma vez seus pais o disciplinaram injustamente? Em caso afirmativo, o que fizeram e como você se sentiu?
7. Observem sua casa ou apartamento e perguntem um ao outro o que é necessário fazer para evitar que seu filho se machuque.
8. Você se considera uma pessoa que respeita ou que transgride regras? De que maneira seu exemplo influenciará seu filho?

Ah, se eu soubesse que...
A SAÚDE EMOCIONAL DA CRIANÇA É TÃO IMPORTANTE QUANTO SUA SAÚDE FÍSICA

Nossos filhos nasceram antes de eu me tornar conselheiro. Estudei antropologia, sociologia, grego, hebraico e teologia, mas não sabia quase nada sobre emoções. É claro que conhecia a sensação de me sentir amado, triste, feliz, irado, frustrado e desanimado, mas eu atribuía tudo isso ao comportamento da minha esposa. A vida era maravilhosa quando ela era gentil e amorosa comigo, mas quando me tratava com aspereza eu me sentia rejeitado, magoado e mais um monte de outras emoções negativas. Não tinha a menor ideia de como lidar com essas emoções. Por essa razão, enfrentamos vários anos tumultuados antes de aprendermos a ouvir, a apoiar um ao outro e a buscar soluções em vez de discutir.

Naquela época, porém, éramos sozinhos, apenas dois adultos tentando conviver um com o outro. A ideia de ter filhos nem sequer me passava pela cabeça, que dirá me preocupar com a saúde emocional deles. Anos depois, comecei a estudar o desenvolvimento infantil e um mundo totalmente novo se abriu diante de mim. Comecei a compreender melhor minha própria infância e meu papel fundamental no desenvolvimento emocional de meus filhos. Neste capítulo quero compartilhar com você algumas coisas que eu gostaria que tivessem me contado a respeito da saúde emocional da criança.

A preocupação com a saúde física dos filhos é uma coisa natural para os pais. É por isso que levam suas crianças para consultas periódicas com o pediatra, ligam para o médico quando observam reações físicas incomuns e acordam à noite para verificar se o bebê está respirando. Tudo isso tem origem na preocupação com o bem-estar físico da criança. É um instinto natural, sábio e necessário. Afinal, manter o filho vivo e saudável é pré-requisito para tudo mais.

Presumindo, contudo, que a criança esteja bem fisicamente, a preocupação seguinte é com a saúde emocional dela. A saúde emocional e a saúde física são os dois trilhos sobre o qual o trem dos pais deve andar. Ambas são necessárias para se criar filhos saudáveis e responsáveis. Alguns pais prestam pouca atenção às necessidades emocionais de seus filhos. Costumam pensar: "Amo meu filhos e faço tudo o que posso para que cresçam e tenham saúde. Espero que se saiam bem". Cuidados e esperança, porém, não são suficientes: também é necessário um esforço consciente para suprir a saúde emocional deles. Sendo assim, quais são as necessidades emocionais da criança?

Se você já fez um curso básico de psicologia, provavelmente ouviu falar da teoria do apego, proposta por John Bowlby,[1] e da teoria do desenvolvimento psicossocial, proposta por Erik Erikson.[2] Quando Shannon e eu estávamos trabalhando neste capítulo, ela me lembrou desses dois importantes estudos. Esses modelos psicológicos bem conhecidos trazem uma compreensão importante para os pais que desejam tomar medidas proativas para estimular a saúde emocional de seus filhos. Então, veja a seguir uma breve exposição de cada um deles.

A importância do apego

O apego é um vínculo emocional fundamentado na confiança entre duas pessoas que se importam profundamente uma com a outra (aquele tipo de conexão que, assim espero, você tem com seu cônjuge). Hoje sabemos que crianças privadas dessa ligação emocional com seus pais, ou cuidadores, terão dificuldade de formar esse tipo de vínculo quando chegarem à fase adulta. De acordo com Bowlby, os pais intensificam esse apego ao se mostrarem disponíveis e atenderem as necessidades físicas e emocionais de seus filhos, que por sua vez se sentem consolados e aprendem a confiar na presença e no cuidado de seus progenitores. Os filhos desenvolvem um senso de segurança por causa dessa ligação emocional com os pais. Os primeiros teóricos do apego acreditavam que o principal fator no desenvolvimento desse vínculo era simplesmente prover alimento à criança. Com o tempo, descobriram que o que mais influenciava o apego bem-sucedido da criança aos pais era o cuidado emocional destes para com seus filhos, demonstrado por meio de afagos, palavras, canções e todo um ambiente positivo e seguro para o desenvolvimento infantil.

Com esse tipo de cuidado, as crianças desenvolvem um senso de segurança saudável que as capacita a explorar

A SAÚDE EMOCIONAL DA CRIANÇA É TÃO IMPORTANTE QUANTO SUA SAÚDE FÍSICA

confiantemente o mundo ao redor. Esse vínculo inicial com os pais também as torna capazes de criar vínculos com outras pessoas à medida que amadurecem. Portanto, o cuidado e a proximidade emocional e relacional dos pais nos primeiros anos da criança formam o molde que orientará a confiança e o comprometimento afetivo dela em seus relacionamentos futuros. Essa compreensão é importantíssima para os pais, e é o motivo pelo qual devem passar a maior quantidade de tempo possível criando laços afetivos com seus filhos em um ambiente amoroso, agradável e acolhedor.

Estágios do desenvolvimento emocional

Erik Erikson, contemporâneo de Bowlby, considerou esse vínculo tão importante a ponto de listar "confiança *versus* desconfiança" como o primeiro dos oito estágios de seu modelo psicossocial. Segundo ele, essa primeira etapa ocorre entre o nascimento e 1 ano e meio de idade, período durante o qual a criança experimenta tipos variados de incertezas. Essa situação é amenizada por meio do amor firme, consistente e atencioso dos pais. Como resultado, o medo da criança é substituído pela expectativa de que suas necessidades serão supridas. Essa sensação de confiança contribui para um senso saudável de segurança, que influenciará todos os outros aspectos de sua vida.

"Autonomia *versus* vergonha", o segundo estágio no modelo psicossocial de Erikson, diz respeito ao período de 1 ano e meio a 3 anos, fase em que a criança se torna cada vez mais curiosa acerca do ambiente à sua volta e cada vez mais capaz de explorá-lo. Pais que estimulam e possibilitam uma exploração segura permitem que seus filhos experimentem uma liberdade apropriada para a idade, o que resulta em uma percepção de autoconfiança e de autoestima. Acreditar que os filhos são capazes e que podem ser bem-sucedidos na vida influenciará positivamente todo o restante da vida deles. Do mesmo modo, se essa autonomia saudável e a chance de aprender com os próprios erros lhes são negadas, eles poderão se sentir inseguros e envergonhados e, em geral, imaginar que não são capazes de obter sucesso na vida. Pais sábios estimulam e habilitam seus filhos a alcançar uma independência saudável para a idade deles. Agir desse modo auxilia a criança a obter uma percepção salutar de autonomia.

"Iniciativa *versus* culpa", terceiro estágio proposto por Erikson, ocorre entre a idade de 3 a 5 anos. Durante essa fase, a criança está mais interessada em brincar com outras crianças. Também se mostra mais curiosa e mais inclinada a tomar decisões por conta própria. É a idade em que ela demonstra mais iniciativa. Caso os pais a estimulem de forma adequada, ela aumentará sua percepção de autoestima e propósito. Caso não seja estimulada apropriadamente, ou seja desestimulada sem necessidade, ou, ainda, seja proibida pelos pais de tomar iniciativas aceitáveis, sentirá que suas ações são impróprias ou erradas. Talvez experimente culpa crescente em razão de desestímulos ou críticas dos pais. É óbvio que a criança, a exemplo dos adultos, age mal de vez em quando. Nesse caso, os pais têm a oportunidade de reconhecer qualquer boa intenção que a criança porventura demonstre e ensinar a ela a forma correta de tomar iniciativa. Uma forma de estimular isso é conceder à criança duas opções igualmente positivas. Por exemplo: "Você gostaria de guardar o triciclo antes ou depois do jantar?". De um jeito ou de outro, ela começa a mostrar iniciativa. É somente decidindo que se aprende a decidir.

"Competência *versus* inferioridade", quarto estágio do desenvolvimento psicossocial, ocorre entre 5 e 12 anos. Prosseguindo com o tema da iniciativa, o qual se espera que a criança tenha alcançado no estágio anterior, nessa idade ela passa por um rápido crescimento em conhecimento, habilidades e desejo de alcançar bons resultados em suas tarefas. Deseja sentir-se competente e acolhida por seu grupo de colegas, e também deseja a aprovação dos pais, professores e treinadores.

Pais, colegas, treinadores e professores podem estimular a criança a alcançar todo o seu potencial. A criança que recebe apoio e estímulo desenvolverá um senso de competência e a convicção de que é possível alcançar objetivos e se sobressair. Caso não receba apoio nem estímulo, caso seja criticada de maneira desnecessária ou impedida de alcançar metas razoáveis, poderá desenvolver uma sensação de inferioridade ou de baixa autoestima.

Apoiar a criança é concentrar-se no esforço dela, e não na perfeição da tarefa. Por exemplo, uma criança de 5 anos se dispõe a arrumar a cama de manhã. Sua mãe vem e diz: "Você está se esforçando bastante. Continue assim". Mais tarde, nesse mesmo dia, a mãe complementa: "Deixa eu mostrar uma coisinha para você quando for arrumar a cama amanhã cedo", e então dá a dica. É provável que a criança siga a instrução, pois se sentiu apoiada. Quando uma criança de 10 anos corta a grama, os pais não devem dizer: "Ei, você não cortou a grama embaixo dos arbustos, não percebeu?". Em vez disso, apoiam a criança por aquilo que fez: "Obrigado por cortar a grama. Gostei muito do seu trabalho". No sábado seguinte, antes de executar a tarefa novamente, explicam a ela como se faz para cortar a grama naquela área. "É difícil cortar a grama embaixo dos arbustos, mas você consegue. Basta movimentar o cortador várias vezes para dentro e para fora." Pode apostar que ela vai conseguir. Apoiar a criança contribui para o desenvolvimento de sua autoconfiança.

Não tratarei dos demais estágios propostos por Erikson em razão de ultrapassarem o âmbito deste livro, mas espero que o leitor tenha percebido a importância de auxiliar os filhos a desenvolverem saúde emocional à medida que crescem fisicamente. Em resumo, as quatro áreas em que a criança necessita desenvolver saúde emocional são:

- Apego, e não negligência.
- Autonomia, e não vergonha.
- Iniciativa, e não culpa.
- Confiança, e não inferioridade.

Não estou sugerindo que as necessidades físicas são secundárias. De maneira nenhuma! Não há como a criança sobreviver sem alimento, abrigo, ar, água, conforto, sono e principalmente proteção, sem mencionar a importância da imposição de limites, conforme apresentamos no capítulo anterior. No entanto, embora os pais estejam suprindo todas essas necessidades, não podem negligenciar o desenvolvimento emocional da criança. Os pais têm a maior influência no desenvolvimento emocional de seus filhos.

> Existem muitos adultos saudáveis fisicamente, mas problemáticos emocionalmente.

Pais que amam e cuidam de seus filhos aumentam as chances destes de se tornarem capazes de cuidar de si mesmos e dos outros. Muitos pais sabem disso por instinto. Pais saudáveis também desejam instintivamente amar e cuidar de seus filhos durante a infância. Contudo, à medida que a

A SAÚDE EMOCIONAL DA CRIANÇA É TÃO IMPORTANTE QUANTO SUA SAÚDE FÍSICA

criança cresce, torna-se mais independente e começa a demonstrar mais individualidade, é possível que os pais diminuam o esforço consciente de exprimir amor e construir um relacionamento com seus filhos. Talvez se ocupem com outras responsabilidades e presumam que as crianças estejam bem, uma vez que demonstram saúde física. No entanto, elas podem estar saudáveis fisicamente, mas apresentar problemas emocionais. Existem muitos adultos saudáveis fisicamente que vivem com sentimentos de inferioridade, raiva, culpa, vergonha e solidão. São saudáveis fisicamente, mas problemáticos emocionalmente. Essa falta de saúde emocional provavelmente prejudicará seu êxito nos relacionamentos e nas vocações. Sem dúvida não é isso o que os pais desejam para seus filhos. Assim, precisamos ser proativos para suprir as necessidades emocionais das crianças.

O tanque de amor da criança

Na caminhada com seu filho por esses estágios do desenvolvimento, creio que a necessidade emocional mais profunda da criança ao longo da infância seja sentir-se amada pelos pais. Sentir-se amado é o ingrediente essencial na formação desse vínculo afetivo entre pai e filho, além de ser fundamental para estimular a confiança, a autonomia e a iniciativa da criança. Costumo imaginar a existência de um tanque de amor emocional dentro de cada criança. Quando esse tanque está cheio, isto é, quando a criança se sente verdadeiramente amada por seus pais, tende a se transformar em um adulto amoroso, seguro de si mesmo, capaz de construir relacionamentos saudáveis e alcançar seus objetivos. Quando não se sente amada por seus pais, tende a crescer com muitos conflitos emocionais e, ao alcançar a adolescência, é comum que saia em busca de amor nos lugares errados.

A maioria dos pais ama seus filhos, mas nem todos os filhos se sentem amados. Não é o bastante amar com sinceridade; os pais devem se certificar de que possuem um relacionamento emocional com seus filhos. Anos atrás, descobri que existe cinco maneiras fundamentais de uma criança receber amor. Dentre essas cinco, às quais me refiro como linguagens do amor, cada criança possui uma linguagem principal, aquela que toca o emocional mais profundamente que as demais. A criança não se sentirá amada se seus pais não exprimirem amor por meio dessa linguagem principal, mesmo que demonstrem amor por meio das outras quatro linguagens.

Isso explica a razão de um adolescente de 13 anos ter comparecido ao meu consultório dizendo: "Meu pais não me amam. Amam meu irmão, mas não a mim". Conheço os pais dele e sei que o amam; eles ficariam chocados se ouvissem o que garoto estava me contando. O problema é que nunca aprenderam a linguagem do amor principal do filho. A seguir, faço um resumo das cinco linguagens do amor e mostro como você pode descobrir a linguagem do amor principal de seu filho.

> A maioria dos pais ama seus filhos, mas nem todos os filhos se sentem amados.

Palavras de afirmação

"A língua tem poder para trazer morte ou vida", diz um antigo provérbio hebraico (Provérbios 18.21). Sem dúvida, trata-se de uma verdade com relação ao modo como falamos com nossos filhos. Críticas e palavras ásperas matam a confiança da criança e produzem medo e raiva. Palavras estimulantes

A SAÚDE EMOCIONAL DA CRIANÇA É TÃO IMPORTANTE QUANTO SUA SAÚDE FÍSICA

inspiram coragem e segurança. "Que cabelo bonito", "Você está ficando musculoso", "Gosto quando você me ajuda com a louça", "Muito bom ver você dividindo seus brinquedos com seu irmãozinho" são alguns exemplos de palavras de afirmação.

Para o bebê é o tom de voz, e não as palavras em si, o que contribui positivamente para sua saúde emocional. Por exemplo, dizer em tom carinhoso e divertido: "Não é o bebê mais fofo do mundo?" e usar esse mesmo tom para dizer: "Não é o bebê mais malvado do mundo?" não faz diferença nenhuma. O bebê não compreende o significado das palavras, mas recebe amor por meio do tom de voz. É claro que em alguns meses essas palavras, incluindo o tom de voz, se tornarão extremamente importantes.

Tempo de qualidade

Consiste em dedicar atenção exclusiva à criança. Vocês podem brincar com algum jogo, trabalhar em algum projeto especial ou simplesmente conversar. O fator mais importante é concentrar sua atenção na criança. Mandar mensagens pelo celular enquanto conversa com seu filho não é tempo de qualidade, a menos que o esteja ensinando a enviar mensagens de texto.

Presentes

Em meus estudos de antropologia, descobri que dar presentes é uma linguagem de amor universal. Presentear comunica mensagens como: "Pensei em você", "Achei que gostaria de ganhar isso", "Amo você". O presente não precisa ser caro. Nesse caso, como se costuma dizer, "o que vale é a intenção".

Sempre chamo a atenção dos pais para o fato de que o presente não deve vir acompanhado de exigências ou expectativas. Quando um pai diz: "Vou lhe dar um sorvete, se você limpar seu quarto", o sorvete deixou de ser um presente e virou pagamento por serviços prestados. Não estou dizendo que você não deveria pagar seu filho por algum trabalho. Apenas afirmo que tal pagamento não é um presente. Presentear significa dar alguma coisa a alguém sem que este tenha feito por merecer.

Como pais, devemos presentear com responsabilidade, ou seja, não damos de presente aos filhos algo que consideremos prejudicial a eles. Por exemplo, pais não presenteiam seus filhos com um *smartphone* apenas porque "todo mundo na escola tem um". Precisamos usar o bom senso na hora de presentear. Ceder ao ataque de raiva da criança e presenteá-la com o que deseja é cair em manipulação.

Atos de serviço

"Ações falam mais alto que palavras", diz o ditado. Para alguns filhos isso é verdadeiro. Assim que o filho nasce e ao longo dos meses seguintes, os pais são obrigados a falar essa linguagem. A criança nasce impotente, sem nenhuma capacidade de tomar conta de si mesma. Os pais têm de alimentá-la e trocar suas fraldas. Com o passar do tempo, essa linguagem passa a ser expressa no conserto de uma roupa de boneca ou de um triciclo, ao encher a bola etc. Conforme a criança se desenvolve, os pais continuam a falar essa linguagem ensinando-a a fazer coisas por si só. Sim, é maior o esforço dos pais para ensinar uma criança a preparar o próprio alimento do que eles mesmos prepararem para ela. Contudo, essa habilidade fará uma grande diferença no futuro.

Toque físico

A maioria das pessoas conhece o poder emocional do toque físico. É por isso que os pais seguram o bebê no colo, o abraçam e dizem todas aquelas palavras bobas. A criança se sente amada por meio do carinho físico muito antes de compreender o significado da palavra amor. Todos os estudos mostram que bebês acariciados, abraçados e beijados desenvolvem uma vida emocional mais saudável que os que são deixados sem nenhum toque físico por períodos prolongados.

Essa necessidade de contato físico não diminui à medida que o bebê amadurece e atinge a idade escolar. Todas as crianças precisam de afeto por meio do toque físico, mas para algumas essa é a linguagem que fala mais alto. Sem o toque físico, a saúde emocional delas sofrerá um impacto negativo.

> Todas as crianças precisam de afeto por meio do toque físico, mas para algumas essa é a linguagem que fala mais alto.

Conforme observamos, cada criança se identifica com ao menos uma dessas cinco linguagens do amor, uma que a toca mais profundamente que as outras quatro. A criança que não recebe doses elevadas de sua linguagem principal não se sentirá amada, mesmo que seus pais falem algumas das outras linguagens.

Descobrindo a principal linguagem do amor da criança

Como, então, descobrir essa linguagem?

Observe o comportamento

Perceba a maneira como a criança interage com você e com os outros. Caso esteja sempre disposta a ajudar em casa, a linguagem principal dela provavelmente é atos de serviço. Caso goste de presentear os pais ou outras pessoas, é provável que fale a linguagem dos presentes. A linguagem do amor principal do meu filho é toque físico. Descobri isso quando ele tinha 3 ou 4 anos. Sempre que voltava do trabalho, ele vinha correndo para a porta, agarrava minha perna e pedia para eu pegá-lo no colo. Quando me sentava, ele pulava em cima de mim. Meu filho me tocava porque queria que eu o tocasse.

Minha filha nunca agiu dessa forma. A praia dela era outra: "Papai, quero mostrar uma coisa para você". Em outras palavras, queria minha atenção exclusiva, isto é, tempo de qualidade. Filhos que vivem dizendo: "Obrigado mãe/pai" ou "Que legal isso que você fez para mim" provavelmente têm nas palavras de afirmação sua principal linguagem.

Observe as reclamações

Um garotinho de 4 anos reclamou com sua mãe por terem deixado de ir ao parque desde o nascimento do irmãozinho. Ele sente falta de tempo de qualidade. Outra criança reclamou com a mãe dizendo que o pai ainda não havia consertado sua bicicleta. A reclamação dele tem a ver com atos de serviço. As reclamações das crianças geralmente revelam sua principal linguagem do amor.

Observe os pedidos mais frequentes

Pedir ao pai que brinque ou leia uma história tem a ver com tempo de qualidade. Pedir uma massagem nas costas se refere a toque físico. Pedir o tempo todo que os pais elogiem seu desempenho pode se referir a palavras de afirmação. Por exemplo: "Mãe, o que acha da redação que escrevi?", "Esse vestido ficou bem em mim?", "Pai, viu como joguei bem hoje?".

A SAÚDE EMOCIONAL DA CRIANÇA É TÃO IMPORTANTE QUANTO SUA SAÚDE FÍSICA

Reunir essas três observações — o comportamento, as reclamações e os pedidos mais frequentes — ajudará você a descobrir a principal linguagem do amor de seu filho.

Entretanto, não pense que os pais devem falar somente a principal linguagem do amor da criança. Não é isso o que estou dizendo. Ao contrário, sugiro falar regularmente a linguagem principal da criança, porém salpicada com as outras quatro linguagens. A ideia é que os filhos aprendam a dar e receber amor por meio de todas as cinco linguagens, que lhes trazem não apenas saúde emocional, mas também os preparam para relacionamentos adultos saudáveis.

É possível que os pais não tenham aprendido a dar e receber amor por meio dessas linguagens. Pais que não receberam palavras de afirmação quando crianças terão dificuldade em se exprimir por meio dessa linguagem com seu filho. A boa notícia é que todas essas linguagens podem ser aprendidas, mesmo depois de adulto. Não permita que sua infância o impeça de satisfazer as necessidades emocionais de seu filho. (Para mais informações, consulte *As 5 linguagens do amor das crianças*, obra que escrevi em parceria com o dr. Ross Campbell.[3])

Pais traumatizados ou que sofreram abusos durante a infância podem se sentir emocionalmente despreparados ou sem nenhuma confiança em sua capacidade parental. Para esses pais recomendo fortemente que procurem aconselhamento. Raiva, mágoas, medo, depressão e muitas outras emoções não desaparecem com o passar do tempo. Também recomendo procurar uma igreja ou outro centro de ajuda em sua comunidade que ofereça grupos de apoio. Buscar ajuda é o primeiro passo para restaurar a saúde emocional. Seu filho merece o melhor da sua dedicação.

Há casos de pais e filhos que compartilham a mesma linguagem do amor. Em situações como essa, tudo o que os pais têm de fazer é se lembrarem de falar com seus filhos por meio dessa linguagem. Pais que não compartilham a mesma linguagem do amor com seus filhos precisam se esforçar mais para aprendê-la. Assim como o aprendizado de outro idioma exige esforço, o mesmo ocorre para aprender a falar uma nova linguagem do amor. Com o passar do tempo, porém, esse processo vai se tornando mais fácil e natural. A recompensa? Ver a criança florescer emocionalmente. Vai por mim, vale a pena.

Gostaria que alguém tivesse me contado as coisas que escrevi neste capítulo antes de me tornar pai. Espero que esses conceitos o ajudem a criar filhos emocionalmente saudáveis.

TROCANDO UMA IDEIA

1. Pense em sua infância e analise se seu vínculo emocional com sua mãe e seu pai era profundo e duradouro. De que maneira isso tem afetado sua vida adulta?
2. Você acha que agirá diferente de seus pais ao criar um relacionamento afetivo com seus filhos?
3. Em uma escala de zero a dez, que nota daria a seu nível de autoconfiança? O que acha que contribui para essa nota?
4. Em uma escala de zero a dez, qual o nível de culpa, vergonha e sentimentos de inferioridade que você experimentou durante sua adolescência? O que acha que contribuiu para essa nota?
5. Em uma escala de zero a dez, qual o nível de amor que sentiu por seus pais desde a infância até a idade adulta? Qual a razão de ter escolhido essa nota?

A SAÚDE EMOCIONAL DA CRIANÇA É TÃO IMPORTANTE QUANTO SUA SAÚDE FÍSICA

6. Qual seu nível de amor por seu cônjuge? Você fala a principal linguagem do amor dele? Se não sabe a principal linguagem do amor de seu cônjuge, peça a ele que participe com você de um teste disponível no livro *As 5 linguagens do amor* e depois conversem a respeito do resultado.

7. Nos primeiros três anos não é possível determinar a principal linguagem do amor do bebê. Portanto, é necessário falar todas as cinco linguagens. Somente então se torna possível observar o comportamento da criança e descobrir sua linguagem principal. A partir dessa descoberta, comece a fornecer doses maciças dessa linguagem a seu filho, sempre salpicada com as outras quatro linguagens, e ele crescerá se sentindo amado. Poucas coisas são mais importantes que a saúde emocional de seu filho.

Ah, se eu soubesse que...
OS FILHOS SÃO GRANDEMENTE INFLUENCIADOS PELO EXEMPLO DOS PAIS

A pergunta mais importante que fiz a mim mesmo foi: *E se meus filhos se tornarem iguais a mim?* Nunca pensei nisso, nem antes de meus filhos nascerem nem depois de saírem das fraldas. Esse pensamento me ocorreu somente alguns anos mais tarde, quando comecei a perceber neles as mesmas características (algumas positivas, outras nem tanto) que via em mim mesmo. A seriedade desse questionamento me ajudou a tomar muitas decisões.

A dura realidade é que existe uma grande possibilidade de seus filhos se tornarem muito parecidos com você. Afinal, a maior influência sobre a criança é o exemplo dos pais. Tenho certeza que você deseja ensinar verbalmente seu filho a ser uma pessoa boa, gentil, paciente, perdoadora, humilde, generosa e honesta. Provavelmente também tem o desejo de apresentar-lhe livros que ensinem essas virtudes. Seu exemplo pessoal, porém, é muito mais importante que suas palavras. Os filhos são mais influenciados por aquilo que os pais fazem que por aquilo que dizem.

Quanto mais o comportamento dos pais se aproximar daquilo que dizem, mais respeito seus filhos terão por eles. Quanto maior a lacuna entre o que ensinam e o que praticam, menos respeito terão. Não significa que os pais têm de ser perfeitos, mas que devem se desculpar por suas falhas e pedir perdão (mais sobre esse assunto no capítulo 8).

"Faça o que digo, não faça o que faço" é um provérbio bastante popular. Agir dessa forma pode até fazer um pai se sentir "no comando", mas não desenvolverá caráter em seus filhos. O exemplo dos pais fala tão alto que os filhos não conseguem escutar o que dizem. Em contrapartida, quando as atitudes refletem os ensinamentos, as palavras dos pais aprimoram o entendimento dos filhos a respeito daquilo que estão tentando ensinar.

> A dura realidade é que existe uma grande possibilidade de seus filhos se tornarem muito parecidos com você.

E se...

Sendo assim, convido você a criar coragem e fazer-se as perguntas a seguir. "E se meu filho, quando crescer...":

- Lidar com a raiva como eu lido?
- Tratar o cônjuge dele como eu trato o meu?
- Dirigir como eu dirijo?
- Tiver a mesma ética no trabalho que eu tenho?

AH, SE EU SOUBESSE!

- Conversar com as pessoas do jeito que eu converso?
- Lidar com conflitos como eu lido?
- Reagir à bebida e às drogas como eu reajo?
- Tiver a mesma qualidade de relacionamento com Deus que eu tenho?
- Lidar com o dinheiro da mesma forma que eu lido?
- Tratar os parentes como eu trato os meus?
- Tratar os filhos dele como eu o estou tratando?

Talvez você queira acrescentar algumas questões próprias.

Certo, eu comecei este capítulo em um tom realmente sombrio, mas fiz isso porque espero que você se faça esse tipo de pergunta mais cedo do que eu fiz. O melhor momento para esses questionamentos é o dia de hoje. Caso enxergue a necessidade de realizar mudanças em sua atitude e em seu estilo de vida, por que não começar antes de o bebê nascer ou antes que ele tenha idade suficiente para que você comece a perceber suas próprias características negativas refletidas no comportamento dele?

Lembre-se de sua infância

Um lugar mais fácil para começar talvez seja analisando sua própria infância. A maioria das pessoas tem lembranças de infância felizes e outras não tão felizes. Sempre é mais fácil começar com as boas lembranças. Uma de minhas lembranças positivas se refere à época em que trabalhei com meu pai na horta de casa. Meu pai me ensinou a plantar milho, quiabo, abóbora, tomate, batata, nabo e pimentão. Ainda hoje consigo ver em minha mente aquele quintal imenso repleto de hortaliças. Olhando para trás, percebo que aprendi muito com meu pai a respeito da ética no trabalho.

Shannon compartilhou comigo uma de suas boas memórias de infância: "Minha mãe tocava órgão na igreja e estava sempre praticando em casa. Nós cantávamos na igreja e em casa. Lembro-me de ouvir música no rádio e cantar no carro com minha mãe. Cresci na década de 1970 e 1980 e continuo curtindo músicas dessa época, mas na infância eu cantava somente músicas dos anos 1950 e 1960 como se ainda estivessem nas paradas de sucesso, pois era só o que tocava no rádio do carro dela. Ainda hoje me pego cantando alguns clássicos como 'Chances Are' (Johnny Mathis) e 'Mr. Sandman' (The Chordettes).

"Minha mãe gostava de cantar para mim: 'You Are My Sunshine', de Jimmie Davies. Sei de cor essa música toda, e hoje canto para meus filhos. Aos 2 anos, Presley começou a cantar comigo. Consigo visualizar minha mãe cantando para mim enquanto canto para meus filhos".

Muitos adultos guardam memórias preciosas de infância, daqueles momentos gostosos em família ouvindo música, praticando esportes, acampando, lendo, cuidando do jardim ou cozinhando. Aprendemos a gostar de muitas coisas que nossos pais gostavam e a apreciar muitas coisas que eles valorizavam. Uma canção de Rodney Atkins, "Watching You", diz: "Quero fazer tudo o que você faz, por isso estou de olho em você". Essa música ilustra muito bem o desejo da criança de se comportar como seus pais. É bastante comum os filhos dizerem e fazerem coisas que seus pais dizem e fazem.

Em contrapartida, muitos adultos também trazem lembranças dolorosas de infância, como brigas entre pai e mãe trancados no quarto ou mesmo na frente das crianças; aquelas palavras ainda ressoam na mente dos filhos adultos. Outros trazem na memória a imagem de um pai alcóolico esbravejando e dizendo coisas horríveis. Embora também tenham memórias positivas, esses adultos passaram a maior parte da infância com medo, mágoa, raiva e insegurança. Ainda assim, até mesmo essas memórias ruins podem ser educativas, pois servem de referência para aquilo que os adultos não devem fazer se quiserem se tornar pais responsáveis.

Sugiro que você faça uma lista de todas as características positivas que percebeu em seu pai e sua mãe e pergunte a si mesmo quantas dessas características observa em você. Faça também uma lista das características negativas de seus pais e repita a pergunta anterior. Esse exercício o ajudará a perceber até que ponto você foi influenciado pelo exemplo de seus pais.

Somos gratos pelas influências positivas de nossos pais, mas agora devemos nos concentrar em transformar as características negativas que vemos em nós mesmos. Não escolhemos nossos pais nem nossas experiências de infância. Contudo, não estamos fadados a repetir o exemplo negativo de nossos pais. A partir do momento em que decidirmos mudar, contaremos com o auxílio de Deus e de nossos amigos. Deus é especialista em transformar vidas. Milhares de pessoas dão testemunho de como se voltaram para Deus a fim de adquirir forças para alterar hábitos destrutivos e o encontraram de mãos estendidas. Amigos também estarão prontos para nos ajudar sempre que estivermos dispostos a falar de nossas dificuldades. A igreja cristã é, em sua melhor forma, um hospital onde as pessoas encontram tratamento e cura.

Cinco passos para se tornar um exemplo

Shannon e eu gostaríamos de lhe oferecer cinco passos para você se tornar o modelo que gostaria que seus filhos imitassem.

Primeiro, coloque-se diante de Deus e *seja sincero a respeito do ponto em que você se encontra em sua jornada*. Seja honesto consigo mesmo, com seu cônjuge e com seus amigos mais próximos. A honestidade é o primeiro passo para a mudança. Isso significa que você precisa estar disposto a refletir sobre a própria vida, a fazer perguntas difíceis. O que preciso mudar para me tornar o exemplo que eu gostaria que meus filhos seguissem?

> A igreja cristã é, em sua melhor forma, um hospital onde as pessoas encontram tratamento e cura.

Talvez seja mais fácil começar por suas características positivas. Quais são suas qualidades? O que você faz bem-feito? Seria interessante dar uma olhada nas perguntas propostas no início deste capítulo e perguntar a si mesmo: "Em quais dessas coisas eu me saio bem?". Você também pode fazer a mesma pergunta em relação a cada uma das sete características listadas anteriormente (bondade, gentileza, paciência, perdão, humildade, generosidade e honestidade) e, ainda, atribuir a si próprio uma nota de zero a dez quanto ao seu desempenho em cada uma delas. Nunca encontrei homem ou mulher que não tivesse características positivas. Por exemplo, sorrir para alguém é expressão de bondade; não buzinar quando o semáforo abre é sinal de paciência. Não despreze as coisas boas que observa em si mesmo. Ao contrário, faça uma lista dessas características positivas e consulte-a diariamente como lembrete das coisas que deseja continuar fazendo.

Em seguida, reveja essas mesmas perguntas e características e crie uma lista das coisas em que não está se saindo tão bem, coisas que gostaria de mudar. Identificar "pontos a melhorar" é o primeiro passo em ser honesto consigo mesmo.

E, se tiver coragem, compartilhe essa lista com seu cônjuge e deixe claro seu desejo sincero de crescer em todas essas áreas.

O segundo passo é *monitorar seu progresso*. O monitoramento ativo requer que pais conscientemente observem a si mesmos. Os pais têm o instinto de observar seus filhos a fim de verificar se estão saudáveis, seguros e se comportando bem. Entretanto, não observam a si mesmos com a mesma frequência ou, caso o façam, talvez não pensem muito sobre a influência ou consequências de seu comportamento sobre os filhos. Por meio do automonitoramento os pais podem observar mais claramente se continuam demonstrando, tanto em sentido positivo quanto negativo, qualidades, sentimentos, palavras e ações que eles mesmos se propuseram modelar para os filhos.

A fim de obter uma perspectiva diferente ou mais objetiva, os pais podem cogitar não apenas monitorar a si mesmos, mas também solicitar a pessoas em quem confiam que relatem observações a seu respeito. Esse tipo de retroinformação pode confirmar ou contestar a maneira como os pais enxergam a si mesmos. Na maioria das vezes, haverá diferenças entre como nos vemos e como os outros nos veem. Não fique aborrecido se um amigo disser que você quase não sorri, que parece estar o tempo todo de cara feia. Respire fundo e agradeça a honestidade dele. Diga que refletirá a respeito daquela informação. Assim como queremos que nossos filhos aprendam e cresçam na vida, também devemos desejar o mesmo para nós. A disposição dos pais de aprender e de amadurecer pode motivar os filhos a seguirem esse exemplo.

O monitoramento ativo exige que os pais observem seus filhos em relação a como reagem ou interagem com os diversos acontecimentos do dia a dia. O que dizem? O que fazem? Essa avaliação do comportamento dos filhos poderá

OS FILHOS SÃO GRANDEMENTE INFLUENCIADOS PELO EXEMPLO DOS PAIS

surpreender muitos pais: talvez descubram que seus filhos fazem e dizem o que eles mesmos fazem e dizem.

Pode ser encantador ouvir uma criancinha dizer aos pais: "Estou amando nossa casa nova", ou à irmãzinha: "Bom dia, minha linda", simplesmente por ter ouvido os pais dizerem isso. Em contrapartida, as palavras e as atitudes da criança podem não ser tão atraentes quando gritam ou batem nos pais e em outras crianças em razão de terem ouvido e visto seus pais fazerem a mesma coisa. Também pode ser frustrante ver a criança desrespeitando limites em razão de os pais não terem estabelecido e reforçado regras saudáveis de maneira positiva e coerente. Não significa, porém, que todos os pensamentos, sentimentos, palavras e comportamentos são influenciados direta e exclusivamente pelo exemplo dos pais. Outros fatores ambientais, incluindo a presença de outras pessoas, também podem influenciar a criança. Ainda assim, os pais provavelmente perceberão em seus filhos, à medida que monitorarem o comportamento deles, a influência de seu próprio comportamento.

O terceiro passo é *tirar o máximo proveito das "oportunidades de aprendizado"*. Oportunidades de aprendizado são situações ao longo da rotina normal da vida em que a criança está aberta para aprender. Crianças aprendem mais por meio de experiências concretas que por meio de conceitos abstratos. Você pode, no conforto de sua casa, ensinar seu filho a olhar para os dois lados antes de atravessar a rua, porém a lição provavelmente será mais bem assimilada se os dois pararem numa esquina e você disser: "Vamos olhar para os dois lados antes de atravessar a rua". É isso o que chamamos de "oportunidade de aprendizado".

Seria interessante ensinar seu filho a contar até 25 antes de dizer ou fazer alguma coisa com raiva. Trata-se de uma técnica de controle emocional muito saudável. Entretanto, a criança provavelmente não agirá dessa forma a menos que *ouça* você contar até 25 e em seguida explique a ela o motivo de ter ficado com raiva e de como você se sente melhor por ter esfriado a cabeça antes de falar. Quando seu filho estiver em situação semelhante, conte junto com ele e elogie-o à medida que prosseguem a contagem.

Em nosso papel de pai e mãe, tanto os fracassos como os sucessos trazem oportunidades de aprendizado. Quando bem-sucedidos, explicamos aos filhos a razão de termos agido dessa ou daquela maneira. Quando fracassamos, admitimos nossa falha e reforçamos nosso desejo de não repetir o erro. Outra oportunidade de aprendizado ocorre quando os filhos obedecem ou deixam de obedecer. Quando obedecem, elogiamos a maturidade deles em seguir as regras. Quando desobedecem, explicamos por que o que eles fizeram foi errado e deixamos que sofram as consequências naturais ou lógicas de seus atos (conforme vimos no capítulo anterior).

Shannon conta que, quando sai de carro com Avery, algumas vezes conversa com ele sobre dirigir com segurança. Embora o garoto ainda esteja longe de tirar a carteira de motorista, Shannon enxergou uma oportunidade de aprendizado e decidiu ensiná-lo a respeito de aguardar o semáforo com paciência e prestar atenção às placas de trânsito. Caso você decida conversar com seu filho sobre segurança no trânsito, lembre-se que seu exemplo é mais importante que suas palavras.

A vida está repleta de "oportunidades de aprendizado". Pais que desejam se tornar bons exemplos devem prestar atenção a esses momentos quando estiverem com seus filhos.

O quarto passo é encarar o papel de pai em *atitude de amor*. A vida é uma sequência de oportunidades e desafios, cada um deles resultando em benefícios e dificuldades. Pais que aceitam essa realidade e enxergam a vida através das lentes do amor estarão mais bem preparados para transmitir a seus filhos virtudes como compaixão, bondade, paciência e perdão, ainda que estejam atravessando momentos difíceis.

Amor é o oposto de egoísmo. Pessoas egoístas enxergam o mundo a partir da mentalidade: "O que posso ganhar com isso?". O amor trabalha exatamente ao contrário: "Como posso contribuir para o bem dos outros?". O egoísmo resulta em destruição dos relacionamentos; o amor é o ingrediente essencial em relacionamentos saudáveis. O egoísmo conduz à manipulação: "Farei isso por você se primeiro você fizer isso por mim"; o amor leva à doação: "Posso ajudar?". O egoísmo, em última instância, conduz ao isolamento; o amor, à comunidade. O amor constrói casamentos saudáveis, ao passo que duas pessoas egoístas jamais obterão um matrimônio firme. O seu casamento, portanto, pode ser um modelo de amor ou de egoísmo que irá influenciar grandemente os seus filhos.

> Os pais também têm muito a ganhar ao se enxergarem através das lentes do amor para que não sejam excessivamente críticos consigo mesmos.

Amor é o que a maioria dos pais espera transmitir a seus filhos, quer em momentos bons, quer em momentos ruins. As crianças são curiosas, aptas para o aprendizado e observadoras de tudo o que os pais fazem. Os pais desejam que seus filhos cresçam se sentindo amados, seguros e sem medo, para que possam amar a si mesmos e aos outros. Os pais auxiliam seus filhos a alcançar esses objetivos ao enxergar a criação de filhos como um ato de amor.

Os pais também têm muito a ganhar ao se enxergarem através das lentes do amor para que não sejam excessivamente críticos consigo mesmos. Cultivar uma visão continuamente negativa de si mesmo por causa de erros passados pode tornar você incapaz de amar no presente. Não é possível mudar o passado, mas é possível aprender com ele. Está ao seu alcance admitir seus fracassos, aceitar o perdão de Deus e dos outros, perdoar-se e prosseguir a vida com mais amor. Viver sob o peso dos erros passados não traz amor-próprio e não melhora sua vida pessoal nem a de seus filhos. Quando você se perdoa, torna-se capaz de perdoar seus filhos mais facilmente quando eles errarem.

Shannon e eu aconselhamos muitos casais frustrados por se esforçarem demais no papel de pais perfeitos. Implacáveis na busca pela perfeição, esses pais talvez não atribuam a seus objetivos o rótulo de "perfeição", mas em seu íntimo é exatamente o que almejam. Alguns desses casais vêm buscar ajuda para "consertar" os filhos. Muitas vezes, porém, o problema não é o mau comportamento ou desempenho das crianças, mas as expectativas fantasiosas e inflexíveis que eles cultivam em relação aos filhos. Elogiamos o desejo de verem seus filhos bem-sucedidos na vida, mas tentamos ajudá-los a estabelecer expectativas mais realistas. Nós os incentivamos a considerarem a possibilidade de dedicar mais energia para construir um relacionamento amoroso e positivo com seus filhos. A criança que se sente amada tirará maior proveito de seu potencial que outra que se sente chantageada pelos pais.

Minha última sugestão para os pais que desejam se tornar exemplos para seus filhos é pensar em escrever para si mesmos uma *declaração de visão e missão*. Saber aonde se quer chegar aumenta consideravelmente a chance de atingir o objetivo. Visão se refere à inspiração, o objetivo maior que se deseja alcançar. Missão se refere aos passos e objetivos práticos necessários para transformar a visão em realidade.

Eis um exemplo de visão: "Como pais, nossa visão é que nossos pensamentos, sentimentos, palavras e ações sejam consistentemente amorosos, positivos, encorajadores, perdoadores e misericordiosos. Com base em nosso exemplo, esperamos que nossos filhos aprendam, com o tempo, que não precisam ser perfeitos, mas possam, como nós, aceitar suas falhas e fraquezas e aprender com elas".

Um exemplo de missão: "Como pais, nossa missão é olhar para nós mesmos através das lentes do amor e ensinar nossos filhos a fazerem o mesmo. Estamos comprometidos a monitorar regularmente nossos pensamentos, sentimentos, palavras e ações a fim de garantir que sejam amorosos, positivos, encorajadores, perdoadores e misericordiosos. Sabemos que falharemos algumas vezes, mas admitiremos abertamente nossos fracassos e buscaremos formas de melhorar. Manteremos expectativas razoáveis e alcançáveis, tanto para nós como para nossos filhos".

Esses exemplos de visão e missão espelham reconhecimento e aceitação da influência profunda que os pais exercem sobre seus filhos. Não é difícil encontrar evidências disso. Basta prestar um pouco de atenção às palavras e ao comportamento dos filhos. Embora as crianças também sejam influenciadas por outros fatores, são os pais, ou os cuidadores principais, os primeiros e mais importantes influenciadores na vida deles. Por causa da grande influência que os pais exercem sobre os filhos, é importante que tomem medidas intencionais e efetivas para que sejam o melhor exemplo possível para suas crianças.

Não estou sugerindo que os pais devem ser exemplos de perfeição, mas sim que procurem utilizar suas qualidades e fraquezas como ferramentas de educação. Os seres humanos mudam o tempo todo, para melhor ou para pior. O objetivo de

AH, SE EU SOUBESSE!

pai e mãe responsáveis é aprimorar áreas deficientes e extrair o máximo potencial de suas qualidades. Espero que as ideias apresentadas neste capítulo ajudem você a se tornar um bom exemplo para seus filhos. Gostaria de ter dedicado mais atenção a essas ideias antes de me tornar pai. Acredito que teria realizado mudanças importantes bem mais cedo.

TROCANDO UMA IDEIA

1. Em uma escala de zero a dez, atribua uma nota para si mesmo em cada uma das sete qualidades abaixo.
   - Bondade
   - Gentileza
   - Paciência
   - Perdão
   - Humildade
   - Generosidade
   - Honestidade

   Em qual dessas qualidades você gostaria de melhorar? Que passos decidiu tomar para que isso aconteça? Concentre-se em uma dessas qualidades por semana ao longo das próximas sete semanas.

2. Responda com sinceridade às questões abaixo escrevendo ao lado de cada uma "feliz" ou "triste" conforme seu sentimento em cada situação.

E se meu filho, quando crescer...

Lidar com a raiva como eu lido?	
Tratar o cônjuge dele como trato o meu?	
Dirigir como eu dirijo?	

Tiver a mesma ética no trabalho que eu tenho?	
Conversar com as pessoas do jeito que eu converso?	
Lidar com conflitos como eu lido?	
Reagir à bebida e às drogas como eu reajo?	
Tiver a mesma qualidade de relacionamento com Deus que eu tenho?	
Lidar com o dinheiro da mesma forma que eu lido?	
Tratar os parentes como eu trato os meus?	
Tratar os filhos dele como eu o estou tratando?	

Se você marcou "triste" em alguma das questões, converse com seu cônjuge e elaborem um plano para começar mudanças positivas.

3. Pense em uma única coisa que gostaria de mudar antes de seu filho nascer. Converse com seu cônjuge, amigo, pastor ou conselheiro e obtenha ideias de medidas práticas para transformar esse desejo em realidade.

4. Você não precisa ser perfeito para dar um bom exemplo a seus filhos, mas precisa aprender a pedir desculpas por seus erros (mais informações a respeito desse assunto no capítulo 8).

Ah, se eu soubesse que...
ÀS VEZES OS PAIS PRECISAM PEDIR PERDÃO

Ao olhar para meus filhos no berço, jamais pensei em ter de pedir perdão a eles. Afinal, não tinha nenhuma intenção de fazer qualquer coisa que os machucasse. Amei-os desde o primeiro momento que os vi e dispus-me a protegê-los, a ensiná-los, a orar por eles e a fazer tudo o que estivesse ao meu alcance para que tivessem uma vida boa. Refletindo sobre aqueles dias, percebo como foi ingênuo de minha parte pensar que seria um pai perfeito, um pai que jamais precisaria pedir perdão.

Por que às vezes machucamos as pessoas que mais amamos? Porque somos humanos, porque somos todos falhos, porque nascemos de pais falhos. Não existe ser humano perfeito — embora um homem, ao ouvir a pergunta de um pregador: "Alguém conhece um marido perfeito?", tenha levantado a mão imediatamente e dito: "O primeiro marido da minha esposa". Em outras palavras, se houve algum marido perfeito, já morreu faz tempo. Aliás, a maioria dos maridos se torna perfeito somente depois de morto. A dura realidade é esta: somos humanos e de vez em quando dizemos e fazemos coisas que machucam nosso cônjuge e nossos filhos e danificam nossos relacionamentos.

A boa notícia é que nossos fracassos não precisam destruir nossos relacionamentos se estivermos dispostos a pedir perdão e a outra parte estiver disposta a nos perdoar. Pedir e conceder perdão são atitudes essenciais para se manter bons relacionamentos. As crianças precisam aprender essa habilidade, pois também não são perfeitas.

Certa vez, nossa neta Davy Grace, então com 5 anos, veio nos visitar e pediu a Karolyn alguns adesivos para brincar (ela sabia que havia uma gaveta cheia de adesivos em casa). Karolyn respondeu que ela poderia pegar apenas três e retornou a seus afazeres. Trinta minutos depois eu entro em casa e vejo adesivos espalhados por todo lado, em cadeiras, portas e gavetas, inclusive um na porta do forno e outro na geladeira. Perguntei a Karolyn o que significava aquilo tudo. Ela olhou ao redor e, percebendo o que havia acontecido, disse à neta: "Você desobedeceu à vovó! Falei que podia pegar somente três, mas você pegou um monte e saiu grudando pela casa inteira". Nossa netinha começou a chorar e disse: "Preciso que alguém me perdoe". Karolyn a abraçou imediatamente e disse: "A vovó perdoa. Amo muito você".

Minha neta falou em nome de toda a humanidade quando disse: "Preciso que alguém me perdoe". Essa frase retrata uma realidade fundamental que precisamos assimilar se desejamos ter relacionamentos saudáveis. Pedir desculpas é o

> Por que às vezes machucamos as pessoas que mais amamos? Porque somos humanos.

primeiro passo rumo ao perdão. E o perdão restaura relacionamentos rompidos.

Algumas pessoas, porém, foram ensinadas a não pedir desculpas. Lembro-me de um jovem que atendi cujo pai lhe ensinou que homens de verdade não pedem desculpas. Eu disse a ele que provavelmente seu pai era um homem bom, mas estava tremendamente enganado em seus conceitos. "Homens de verdade devem pedir desculpas se quiserem ter um bom casamento e ser bons pais. O mesmo vale para mulheres de verdade", completei.

Parte do problema é o fato de termos ideias diferentes a respeito do que significa pedir desculpas. Lembro-me da mulher, sentada com o marido em meu consultório, que me disse: "Eu o perdoaria se ele se desculpasse". Ao que o homem respondeu: "Mas eu pedi desculpas". "Não pediu, não", replicou ela. "Eu disse que sentia muito", respondeu ele. "Isso não é um pedido de desculpas", disse ela. Obviamente, aquela esposa estava buscando algo mais que um mero "sinto muito".

A maioria das pessoas aprendeu a pedir (ou não pedir) desculpas com os pais. Tenho a impressão que o marido do parágrafo anterior empurrou a irmã escada abaixo quando criança e ouviu sua mãe dizer: "Filho, não empurre sua irmã na escada. Diga a ela que sente muito". O garoto obedece e diz: "Sinto muito". Hoje, aos 28 anos, ao perceber que ofendeu sua esposa ele diz: "Sinto muito". Para ele isso é pedir desculpas. Em contrapartida, sua esposa aprendeu uma forma diferente de pedir desculpas. A mãe dela pode ter dito: "Filha, quando perceber que magoou alguém, sempre diga: 'Eu errei. Não deveria ter feito o que fiz. Por favor, me perdoe'". São essas as palavras que ela espera ouvir do marido, mas jamais passou pela cabeça dele se desculpar dessa maneira.

Linguagens do perdão

Alguns anos trás, a dra. Jennifer Thomas e eu escrevemos um livro intitulado *As 5 linguagens do perdão*.[1] Em nossa pesquisa, fizemos duas perguntas a milhares de pessoas: 1) Quando você pede desculpas, o que geralmente diz ou faz?; 2) Quando alguém pede desculpas para você, o que deseja ouvir?

As respostas a esse questionário se encaixaram em cinco categorias, às quais nos referimos como as cinco linguagens do perdão. A seguir, descrevo brevemente cada categoria, pois creio que todas elas devem ser ensinadas aos filhos.

1. *Manifestação de arrependimento: "Sinto muito"*. Essas duas palavras, porém, jamais devem ser ditas isoladamente. É necessário explicar ao ofendido a razão pela qual você sente muito. Por exemplo: "Sinto muito ter perdido a paciência e gritado com você"; "Sinto muito ter pegado seu brinquedo sem permissão"; "Sinto muito ter derrubado sua casinha de Lego". Outro fator importante: jamais acrescente a palavra "mas" depois de "sinto muito". "Sinto muito ter perdido a paciência, mas... se você não tivesse feito isso ou aquilo eu não teria agido assim." Expressar-se dessa maneira é culpar o outro pelo seu próprio mau comportamento.

2. *Aceitação da responsabilidade: "Eu errei; não deveria ter feito o que fiz"*. Ou ainda: "O que fiz não tem justificativa, assumo total responsabilidade por meus atos". Ajudar a criança a assumir a responsabilidade por seu mau comportamento é fundamental para ela aprender a pedir desculpas. Aos 6 ou 7 anos, meu filho derrubou acidentalmente um copo de cima da mesa. O copo caiu no chão e quebrou. "Caiu

sozinho!", disse ele quando o encarei. "Filho, vamos dizer isso de uma forma diferente. 'Eu derrubei o copo sem querer.'" Com lágrimas nos olhos, ele repetiu: "Eu derrubei o copo sem querer". Ele não fez nada errado, foi um acidente. Eu estava apenas tentando ajudá-lo a assumir a responsabilidade por seu comportamento.

3. *Compensação do prejuízo: "Como posso corrigir isso?".* Ou ainda: "Que posso fazer para que você me perdoe?". Algumas pessoas não aceitam pedidos de desculpas se o ofensor não estiver disposto a fazer reparação. Para a criança significa oferecer-se para reconstruir um castelo de blocos que tenha sido chutado intencionalmente.

4. *Arrependimento genuíno: "Não gostei do que fiz e não quero fazer isso de novo".* "Vou colocar um aviso na minha mesa dizendo: 'Não entre no quarto do Erick sem antes bater na porta e perguntar: Posso entrar?'. Acho que vai ajudar a me lembrar disso futuramente." Para algumas pessoas, ouvir o ofensor exprimir o desejo de mudar transmite a mensagem importante de que se trata de um pedido de desculpas sincero.

5. *Pedido de perdão "Por favor, você me perdoa?".* Ou ainda: "Espero que você me perdoe". Para algumas pessoas, ouvir esse tipo de coisa transmite a mensagem de que o ofensor ainda valoriza o relacionamento, de que percebeu que seu comportamento machucou e criou uma barreira entre os dois envolvidos, e de que deseja sinceramente que a outra pessoa o perdoe para que ambos possam continuar amigos.

A dra. Thomas e eu descobrimos que a maioria dos adultos não aprendeu a falar essas cinco linguagens do perdão na infância. A maior parte aprendeu apenas uma ou duas. Agora adultos, desculpam-se por meio da linguagem que aprenderam, sem perceber que talvez não estejam se comunicando apropriadamente com a pessoa ofendida. É por essa razão que marido e esposa geralmente não se entendem quando tentam se desculpar um com o outro e, portanto, sentem dificuldade para perdoar.

Sugiro que você e seu cônjuge conversem sobre suas perspectivas a respeito do que constitui um pedido de desculpa sincero. Aprender a se desculpar de uma maneira que o outro considere significativa pode tornar mais fácil o perdão mútuo. E não se espante se descobrirem que um de vocês quase nunca pede desculpas, seja por que motivo for. Talvez você também tenha ouvido de seu pai que "homens de verdade não se desculpam". Nesse caso, continue amando seu pai, mas rejeite o conselho dele. Não aprender a se desculpar fará com que seus filhos sofram socialmente e que você tenha um relacionamento conjugal perturbado.

Lembre-se que seu exemplo (conforme apresentamos no capítulo 7) é a melhor maneira de ensinar seus filhos a pedir perdão. Portanto, sugiro que aprenda a se desculpar com seus filhos. Alguns pais pensam que perderão o respeito dos filhos se pedirem desculpas a eles. Na verdade, ocorre justamente o oposto: eles terão mais respeito por você. Eles já sabem que o que você fez ou disse estava errado.

Desculpar-se por quais motivos?

Quais tipos de atitude exigem que os pais se desculpem com uma criança? Comecemos com aquelas coisas desagradáveis que você diz ou faz para seus filhos. Algumas vezes os pais atiram suas próprias frustrações sobre a criança com gritos

AH, SE EU SOUBESSE!

e palavras duras, transmitindo a elas mensagens críticas e condenatórias. Se os pais não pedirem desculpas, essas mensagens poderão ficar guardadas na memória da criança por muitos anos. Deixar de ouvir ou prestar atenção ao que a criança está dizendo e fazendo para se relacionar com você também exige pedido de desculpas. Alguns pais punem injustamente a criança por não terem checado todos os fatos acerca da situação. Outros castigam excessivamente a criança, quando bastaria apenas uma ou outra forma de disciplina.

Outra categoria de comportamento adulto que pode exigir pedido de desculpas às crianças refere-se a certas coisas que os pais falam e fazem e que indiretamente afetam os filhos de maneira negativa. Pais que brigam entre si na frente das crianças, aos gritos e com palavras ásperas, sem nenhuma consideração com os sentimentos e pensamentos delas, definitivamente devem pedir-lhes perdão (e um ao outro). Também devem ser incluídas nessa categoria todas aquelas situações em que os pais maltratam outra pessoa na frente dos filhos (p. ex., a maneira como você trata os operadores de *telemarketing* que ligam tentando vender alguma coisa). Outro exemplo de ofensa indireta são as ocasiões em que os pais falham em suas responsabilidades básicas (trabalho, manutenção da casa, provisão de alimento e segurança para os filhos). O vício, de qualquer natureza (drogas, jogos de apostas etc.), geralmente leva os pais a negligenciarem suas funções parentais e, portanto, exige pedido de perdão.

Não quero, com esses exemplos, provocar culpa ou vergonha. Ao contrário, desejo estimular todos os pais a perceberem e a tirarem o máximo proveito das oportunidades de se desculparem com seus filhos, toda vez que for apropriado. Pais que valorizam o perdão e se dispõem a pedir desculpas sempre que necessário estarão ensinando a seus filhos uma das habilidades mais fundamentais para a construção de relacionamentos saudáveis.

Benefícios de pedir perdão

O que ganhamos em aprender a pedir desculpas a nossos filhos? Vejamos três resultados positivos.

Pedir perdão constrói e demonstra o caráter

A maioria dos pais está interessada em construir o caráter de seus filhos, isto é, em desenvolver neles a capacidade de enfrentar os desafios da vida com firmeza moral e mental. O caráter dos filhos começa a se desenvolver na infância e prossegue até a fase adulta. Os pais, da mesma forma, devem construir e demonstrar caráter continuamente, à medida que enfrentam seus próprios desafios, incluindo as vezes em que erram em sua função parental, o que ocasiona, direta ou indiretamente, efeitos negativos sobre os filhos.

Aprender com os próprios erros é uma maneira de construir o caráter. Aprender com os erros significa que os pais refletem sobre suas falhas, assumem a responsabilidade por elas e empenham-se para evitar situações semelhantes no futuro. Esse processo de refletir, assumir as falhas e procurar melhorar constrói o caráter dos pais.

> Aprender com os próprios erros é uma maneira de construir o caráter.

Ao aprender com seus erros, os pais demonstram para seus filhos a importância de lidar com o erro de maneira efetiva. Por exemplo, um pai que reconhece sua raiva e a controla usando métodos para esfriar a cabeça serve de modelo para que seu filho adquira domínio próprio. Trata-se de uma prática de construção do caráter. Um pai que reage de maneira violenta, mas depois se acalma, assume a responsabilidade e pede desculpas também é um exemplo de caráter para seu filho.

Shannon me contou a história de um pai violento que estava preocupado com suas contínuas explosões de raiva. Sentindo-se profundamente culpado por seu mau comportamento, esse pai pediu perdão à família inteira. Seu filho de 12 anos ficou pasmo, pois ninguém nunca lhe havia pedido perdão. A atitude desse pai deu início a uma grande transformação pessoal e familiar.

Pedir perdão constrói e restaura relacionamentos

Não é possível os membros da família se tratarem com aspereza e ao mesmo tempo desejarem um bom relacionamento. É comum pais e filhos sofrerem em silêncio depois de uma briga. A cura não vem espontaneamente com o passar do tempo, mas somente quando admitimos nossos erros e pedimos perdão. Comentando a respeito de uma experiência, Shannon me contou a história a seguir.

"Não muito depois de minha filha Presley completar 2 anos, ela e eu estávamos na cozinha tomando um lanche quando ela esbarrou sem querer em minha xícara de chocolate quente e derramou tudo. Para minha vergonha, comecei a gritar impulsivamente com ela. Enquanto as palavras saíam, lembro-me de ter pensado: 'Eu não deveria exagerar'. Eu sabia que estava estressada por causa de outros assuntos e que estava descontando minhas frustrações nela, que obviamente não fazia a mínima ideia do meu estado emocional. Tudo o que ela sabia é que havia me desagradado e que eu, em razão disso, ferira os sentimentos dela. Ela saiu da mesa com lágrimas nos olhos e foi procurar consolo com Stephen.

"Esperei alguns minutos até ela se acalmar, peguei-a no colo, abracei-a e disse: 'Presley, me perdoe, eu não devia ter gritado com você'. Ela também me abraçou e, com sua linguagem meiga de criancinha, repetiu minhas palavras: 'Não devia ter gritado comigo?'. Ela parecia dizer essas palavras como se estivesse me questionando: 'Você não devia ter gritado comigo, não é mesmo?'. Ela repetiu essa pergunta várias vezes ao longo do dia. Era sua maneira de restaurar o relacionamento. Crianças mais velhas fazem perguntas parecidas: 'Você ainda está zangada comigo?'. Essa e outras perguntas semelhantes ilustram como os filhos acompanham os pais depois do conflito para se assegurarem de que o relacionamento permanece intacto e de que continuam acolhidos."

A falha dos pais em demonstrar bondade e justiça pode levar a criança a se sentir emocionalmente distante, infeliz ou até mesmo odiada. Os filhos experimentam restauração emocional, incluindo alívio de sentimentos negativos, a partir do momento em que os pais pedem desculpas com sinceridade e se esforçam para evitar esse tipo de comportamento no futuro.

Obviamente, o perdão nem sempre é automático, tanto para adultos como para crianças. Por causa disso, os pais não devem injustamente esperar que seus filhos perdoem de imediato um erro grave. Ainda assim, a atitude de pedir perdão com sinceridade, combinada com interações consistentemente positivas ao longo do tempo, pode ajudar a restaurar até mesmo os relacionamentos mais danificados.

Pedir perdão ensina a criança a lidar com os próprios erros

Crianças não são perfeitas. Transgridem regras, falam com aspereza com os pais ou com os outros irmãos, empurram ou chutam umas às outras, e assim por diante. É difícil imaginar que o bebê em seus braços se comportará dessa maneira, mas é a realidade. Crianças não nascem sabendo pedir perdão. Ao contrário, nascem sabendo culpar. Já percebeu essa mesma característica em você mesmo? Sempre é mais fácil culpar o outro que aceitar a responsabilidade pelos próprios erros.

Só você sabe se está processando suas falhas de um modo saudável. Muitos adultos são péssimos em pedir perdão. Às vezes dizem coisas ásperas para o cônjuge ou para outras pessoas, viram as costas e vão embora, culpando mentalmente o outro por seu próprio mau comportamento, sem jamais voltar para pedir desculpas. Essas ofensas não resolvidas vão se acumulando e geralmente resultam no colapso do relacionamento.

Cinco passos para aprender a pedir perdão

A fim de ensinar seu filho a pedir desculpas, você deve primeiro aprender a fazer isso. O melhor momento para esse aprendizado é antes do nascimento do bebê ou quando ele ainda é bem pequeno. A seguir apresentamos cinco passos para aprender a pedir perdão e o incentivamos a verificar em que etapa você se encontra. A propósito, são os mesmos cinco passos necessários para ensinar seu filho.

1. *Assuma a responsabilidade por seus atos.* "Deixei o portão aberto", "Esqueci de pôr o lixo para fora", "Quebrei um prato", "Fui muito duro com você", "Pisei na lama", "Fui grosseiro", "Esqueci de comprar leite". Algumas dessas faltas não têm conotação moral. São simplesmente inaptidões humanas. O mais importante é assumir a responsabilidade por seu comportamento.

2. *Suas ações afetam outras pessoas.* Nenhum ser humano vive sozinho. Tudo o que fazemos de bom ou de ruim afeta as pessoas ao redor. Marcar um cinema com minha esposa para o final da tarde e retornar para casa duas horas depois do início da sessão sem dúvida a deixará decepcionada. Em contrapartida, limpar o quintal a deixará muito feliz. Se eu dirigir irritado e com pressa, ela sentirá medo. Nossas ações, boas ou más, causam impacto nos outros.

3. *A vida sempre terá regras.* Muitas vezes pensamos em criar regras para a segurança dos filhos (assunto discutido anteriormente), mas os adultos também têm regras a seguir para seu próprio bem-estar. Sem regras, a sociedade se transformaria em um caos. Quando obedeço às regras, a vida fica mais fácil; quando desobedeço, haverá consequências negativas. A maior regra da vida, por vezes chamada de regra de ouro, é esta: "Em todas as coisas façam aos outros o que vocês desejam que eles lhes façam" (Mateus 7.12).

> Tudo o que fazemos de bom ou de ruim afeta as pessoas as nosso redor.

4. *Pedir desculpas restaura amizades.* É comum observarmos relacionamentos deteriorados em casa, no trabalho e entre parentes e vizinhos. A maioria é resultado da falta de pedido de desculpas e da falta de perdão. Quando pedimos desculpas, abrimos a porta para a possibilidade de perdão. Quando o perdão é concedido, o relacionamento é restaurado.

5. *Precisamos aprender a pedir perdão de uma maneira que seja significativa para a pessoa ofendida.* Aqui cabem muito bem as cinco linguagens do perdão que analisamos

anteriormente neste capítulo. A maioria dos adultos não aprendeu a falar essas cinco linguagens.

Todavia, nunca é tarde para começar. Leia a lista a seguir e verifique seu grau de fluência em cada linguagem.

- "Sinto muito por ter..."
- "Agi errado."
- "O que posso fazer para consertar?"
- "Tentarei não fazer mais isso."
- "Espero que possa me perdoar."

As crianças precisam aprender essas cinco linguagens do perdão, mas provavelmente não aprenderão a menos que os pais também as pratiquem. Caso essas linguagens pareçam estranhas para você, sugiro que as diga em voz alta diante do espelho até que comecem a soar um pouco mais familiares. Quanto mais repeti-las, mais provável é que consiga dizê-las quando surgir a necessidade de se desculpar com seu cônjuge ou algum colega de trabalho.

Pedidos de desculpas, contudo, não restauram por si mesmos o relacionamento. Desculpar-se é apenas o primeiro passo. A fim de remover a barreira emocional é necessário que a outra pessoa conceda o perdão. A decisão do outro de acatar o pedido de desculpas equivale à concessão do perdão. Perdoar pode ser fácil ou difícil dependendo dos fatores envolvidos, como a natureza e a frequência da ofensa e a percepção de sinceridade do pedido de desculpas. O perdão também é influenciado por quão bem a pessoa ofendida aprendeu, quando criança, a pedir desculpas e a perdoar. Pais que pedem desculpas e perdoam um ao outro aprimoram o próprio relacionamento conjugal e servem de exemplo para os filhos.

Gostaria de ter aprendido a me desculpar muito mais cedo. Muitas das dificuldades conjugais que Karolyn e eu enfrentamos nos primeiros anos poderiam ter sido evitadas se eu tivesse tomado a decisão de assumir a responsabilidade por minhas palavras e ações, admitido meus erros, me oferecido para reparar a situação, me esforçado para não repetir as mesmas atitudes e, por fim, pedido perdão. Espero que este capítulo o ajude a ter mais disposição e maior capacidade de pedir perdão e perdoar. Pergunte-se outra vez: "E se meus filhos se tornarem iguais a mim?".

TROCANDO UMA IDEIA

1. Qual foi a última vez que você se desculpou com alguém? Como transmitiu seu pedido de desculpas? Como a outra pessoa reagiu? Você ficou contente com o resultado? Depois de ler este capítulo, de que maneira poderia reestruturar seus pedidos de desculpas?
2. O que seus pais lhe ensinaram sobre pedir desculpas?
3. Você se lembra de seus pais terem alguma vez lhe pedido desculpas? Em caso negativo, pelo que gostaria que tivessem se desculpado?
4. Observe as linguagens do perdão abaixo e marque uma ou duas que considera um pedido sincero de desculpas.

	Manifestação de arrependimento ("Sinto muito por ter...").
	Aceitação da responsabilidade ("Agi errado, não deveria ter feito o que fiz").

	Compensação do prejuízo ("O que posso fazer para consertar as coisas?").
	Arrependimento genuíno ("Não gostei de como agi e não quero fazer isso de novo").
	Pedido de perdão ("Por favor, você me perdoa?").

5. Peça a seu cônjuge que explique o que considera um pedido de desculpas sincero. Diga a ele o que você considera um pedido de desculpas sincero. Observe se vocês têm andado desencontrados emocionalmente em razão de falarem diferentes linguagens do perdão.

6. Qual foi a última vez que você pediu perdão ao seu cônjuge? Como ele reagiu?

7. Qual foi a última vez que seu cônjuge lhe pediu perdão? Como você reagiu?

8. Você tem conseguido perdoar seu cônjuge depois que ele se desculpa? O que ele deve fazer para que você possa perdoá-lo mais facilmente? Diga isso a ele.

9. Aprender a se desculpar apropriadamente com o cônjuge e os filhos é essencial para manter um relacionamento familiar saudável. É uma das habilidades sociais mais importantes que os filhos precisam aprender (mais informações a respeito dessas aptidões sociais no capítulo 9).

Ah, se eu soubesse que...
APTIDÕES SOCIAIS SÃO TÃO IMPORTANTES QUANTO CONHECIMENTO ACADÊMICO

Muitos pais acreditam que o sucesso acadêmico é o bilhete para os filhos alcançarem o "sucesso". O que não percebem é que notas altas no histórico escolar não necessariamente se traduzem em uma vida bem-sucedida. Sem aptidões sociais saudáveis, um estudante nota A pode ter uma vida nota C ou D. Muitas pessoas são demitidas não por causa de alguma deficiência intelectual, mas por não conseguirem se relacionar com os outros. Há muitos divorciados inteligentes, mas que nunca aprenderam a resolver seus conflitos sem brigas, a manter vivo o amor afetivo depois que a euforia da "paixão" definha, a pedir em vez de exigir e vários outros desafios que requerem aptidões sociais.

Não estou menosprezando a importância do conhecimento acadêmico (assunto que trataremos em mais detalhes no capítulo 10). Estou apenas dizendo que estudar não é suficiente para se sair bem na vida. A maioria das profissões requer trabalho em equipe. As "habilidades interpessoais" podem muito bem fazer a diferença entre sucesso e fracasso. Neste capítulo quero identificar algumas aptidões sociais necessárias para o sucesso e como você, em seu papel de pai ou mãe, pode ajudar seu filho a desenvolver essas habilidades.

Desejei que meus filhos, desde a infância, se tornassem pessoas amáveis, bondosas, responsáveis, trabalhadoras e educadas. Queria que fossem capazes de lidar com as próprias emoções de maneira saudável e que respeitassem as emoções dos outros. Queria que fossem amigáveis e capazes de conversar com qualquer pessoa, e que percebessem que a maior satisfação nesta vida é servir aos outros. Confesso, porém, que dediquei pouca atenção a respeito de como fazer para que desenvolvessem essas qualidades. Eu contava principalmente com a vontade.

> As "habilidades interpessoais" podem muito bem fazer a diferença entre sucesso e fracasso.

A seguir compartilho com você algumas coisas que aprendi em meus estudos, em meu consultório, com a criação dos meus filhos e também com as experiências e o conhecimento de Shannon.

Como a criança aprende empatia

Vamos começar com a *empatia*, que é a capacidade de se colocar no lugar dos outros e se identificar com a dor ou a alegria que sentem. É uma das aptidões fundamentais para o trabalho de aconselhamento. Não existe conselheiro sem empatia. Muitos adultos, contudo, não possuem essa aptidão. Nunca

APTIDÕES SOCIAIS SÃO TÃO IMPORTANTES QUANTO CONHECIMENTO ACADÊMICO

aprenderam a reconhecer e dar nome às próprias emoções e, por isso, têm dificuldade para compreender as emoções alheias. Não sabem, por exemplo, apoiar um colega de trabalho que passa por um momento de decepção, tristeza ou trauma. Em vez disso, simplesmente mantêm distância dos que sofrem. Ainda que sejam pessoas boas e honestas, não possuem essa aptidão social.

Como, então, ensinar os filhos a desenvolver empatia? Tudo começa com a atitude dos pais de procurar se identificar com as emoções dos filhos. Quando o bebê chora, os pais procuram descobrir o motivo. Uma vez que o recém-nascido não sabe falar, no começo tudo é um jogo de adivinhação. O choro pode indicar fome, fralda suja, dor, sono, tédio ou simplesmente necessidade de carinho. Ao longo do tempo, os pais aprendem a distinguir entre os vários tipos de choro e, usando de paciência, persistência e empatia com o bebê, vão suprir suas necessidades básicas e estabelecer as bases da conexão social com o filho. Esse molde é o primeiro passo para ensinar os filhos a adquirirem empatia pelos outros.

À medida que a criança se desenvolve e começa a falar, os pais obtêm mais pistas do que o filho está sentindo. Uma das funções dos pais é associar palavras às emoções da criança. Quando ela cai e começa a chorar, os pais a abraçam e dizem: "Ô meu bebê, você se machucou? Mostra para a mamãe onde está doendo". E assim os pais prosseguem, mês a mês, ano a ano, ajudando seus filhos a desenvolverem um vocabulário emocional. A criança tem de aprender a identificar as próprias emoções antes de aprender a ter empatia pelas emoções dos outros.

Com o tempo, a criança chega a um ponto em que começa a se identificar com as emoções dos pais. Por exemplo, se a mãe diz: "Fico triste quando você me desobedece", e o filho responde: "Sinto muito, mamãe", essa criança está demonstrando ter empatia com sua mãe. Trata-se de um processo lento, mas conversar sobre as emoções, tanto dos pais como dos filhos, é o caminho para desenvolver a importante aptidão social da empatia.

Demonstrando e ensinando bondade

A segunda aptidão social é a *bondade*, isto é, palavras e ações que melhorem a vida dos outros. A criança que aprende a exprimir bondade não apenas enriquece a vida dos outros como também alcança grande satisfação pessoal. Albert Schweitzer, médico que dedicou sua vida trabalhando na antiga África Equatorial Francesa e foi agraciado com o Nobel da Paz em 1952, comentou o seguinte em seu discurso de recebimento desse prêmio: "Uma coisa eu sei: os únicos entre vocês que serão realmente felizes são aqueles que buscarem e encontrarem maneiras de servir".[1]

Ensinar bondade à criança é desenvolver nela uma das mais importantes aptidões sociais. Tudo começa quando você é bom com seus filhos. Quando fala palavras bondosas em um tom de voz amável, você ensina por meio do exemplo. Quando faz coisas que, em seu entendimento, melhorarão a vida de seus filhos, você está demonstrando bondade. Toda criança reage positivamente a isso.

Depois que esse padrão estiver estabelecido, você pode dizer ao seu filho: "Lembra-se de como se sentiu quando eu disse que me orgulhava de você? Então vamos pensar em alguma coisa boa para dizer à sua avó". Ele provavelmente ficará entusiasmado e começará a pensar em coisas que gostaria de dizer. Ou você pode dizer: "Você se lembra de como a mamãe ficou contente quando nós dois limpamos o quintal? Vamos pensar em outra ideia para deixá-la feliz". A aptidão de falar e fazer coisas boas fará toda diferença na vida dos filhos quando chegarem à fase adulta.

A arte de dizer "obrigado"

A terceira aptidão social é a *gratidão*, ou seja, a arte de dizer "obrigado". Quando aprendem a agradecer as crianças estão desenvolvendo uma habilidade social valiosa para seus futuros relacionamentos. Certa vez, uma atendente de cantina de uma escola me disse: "Sirvo quase trezentas crianças por almoço diariamente. Somente dez delas dizem 'obrigado'. São sempre as mesmas dez. Elas alegram meu dia". O que acha de seu filho ser uma dessas dez?

Tudo começa com nosso próprio exemplo. Agradecer sua esposa por preparar a refeição provavelmente fará com que seu filho faça o mesmo. Dizer à criança: "Vamos agradecer ao papai (ou à mamãe) por trabalhar todo dia para termos uma casa onde morar" é ensinar a ela que as coisas que apreciamos não surgem do nada. Crianças agradecidas geralmente são criadas por pais agradecidos.

Outra sugestão é brincar de "jogo da gratidão" com os filhos que já sabem falar. A família se reúne em um cômodo da casa e cada um agradece pelos vários itens espalhados ali. Um diz: "Sou grato por esta cadeira", o outro: "Sou grato por este tapete", e assim por diante. Observe por quantas coisas vocês são capazes de agradecer em dez minutos. Crianças pequenas curtem muito esse tipo de jogo, e

> Crianças agradecidas geralmente são criadas por pais agradecidos.

cada vez que disserem "Sou grato por..." estarão desenvolvendo a habilidade da gratidão.

Qual foi a última vez que você disse "obrigado" a alguém? Caso não se lembre, seria interessante estabelecer o objetivo de dizer essa palavra a pelo menos três pessoas por dia. Pais sem essa aptidão social dificilmente conseguirão ensiná-la a seus filhos.

Atenção exclusiva ao outro

A quarta aptidão social se refere à *atenção concentrada*, que é a capacidade de prestar atenção total à pessoa com quem se está falando. Minha esposa Karolyn está sempre me lembrando dessa aptidão quando me diz: "Seja onde estiver, esteja por inteiro". O mundo moderno valoriza a multitarefa como ferramenta para ganhar tempo. No entanto, isso não funciona na construção de relacionamentos. Já aconteceu de você estar assistindo à televisão ou navegando na internet e seu cônjuge perguntar: "Posso falar com você um minuto?", e você responder: "Pode falar, estou ouvindo"? Embora seja possível assistir à televisão e ouvir o cônjuge, isso não é atenção concentrada. A outra pessoa quer sua atenção exclusiva.

Dedicar atenção exclusiva a alguém comunica que a pessoa é importante para você e que você valoriza os pensamentos, as ideias e os sentimentos dela. Olhar nos olhos durante a conversa, fazer perguntas para garantir que está entendendo, exprimir interesse e ao final comentar seu próprio ponto de vista são atitudes que manifestam uma das aptidões mais importantes na construção de relacionamentos: atenção concentrada.

A capacidade de concentrar a atenção também traz outros benefícios. Crianças que prestam atenção na escola se saem

APTIDÕES SOCIAIS SÃO TÃO IMPORTANTES QUANTO CONHECIMENTO ACADÊMICO

melhor nos estudos (mais a respeito desse assunto no capítulo 10). Crianças que praticam esportes se sobressairão caso consigam manter o foco na tarefa imediata. Em quase todas as áreas da vida, crianças que se concentram em uma tarefa de cada vez serão mais bem-sucedidas que crianças que se distraem facilmente. Há, obviamente, crianças que sofrem de Transtorno de Déficit de Atenção e necessitam de ajuda profissional.

Por onde começar o ensinamento dessa aptidão social? Em minha opinião, tudo começa quando os filhos são pequenos e os pais lhes dedicam atenção exclusiva. Não estou me referindo às 24 horas do dia, mas a períodos prolongados que os pais passam com os filhos, conversando, cantando, acariciando ou segurando no colo. São atividades como essas que lançam as bases da atenção concentrada.

À medida que a criança amadurece, ler para ela também contribui para o desenvolvimento de sua capacidade de atenção. Alguns pais cometem o erro de colocar a criança muito cedo em contato com aparelhos eletrônicos. Essa exposição diminui a capacidade de concentração da criança, uma vez que apresenta conteúdos em constante mudança. Aliás, a Academia Americana de Pediatria recomenda que os pais evitem expor crianças abaixo de 2 anos a aparelhos eletrônicos.[2]

Conforme a criança vai ficando mais velha, o uso de aparelhos eletrônicos deve continuar restrito e monitorado. O acesso ilimitado a esse tipo de exposição impede a criança de desenvolver a aptidão social de atenção concentrada. Pior, ensina a ela que a vida deve ser sempre interessante, imediata e gratificante. Entretanto, nem a vida nem as pessoas apresentam essas características o tempo todo. Crianças que se viciam em aparelhos eletrônicos não desenvolverão a aptidão social de atenção concentrada.

Em contrapartida, brincadeiras apropriadas à idade que envolvam reflexão, conversação e olhar nos olhos ensinam as crianças a se sentirem confortáveis com as pessoas. Brincar com os filhos é um laboratório para que se desenvolvam neles aptidões sociais.

Conversar com a criança é um fator importante para desenvolver nela a aptidão de atenção concentrada. Converse com a criança olhando nos olhos dela e ensine-a a fazer o mesmo. Preste atenção também à sua própria tendência de se distrair. Pais que atendem ao celular no meio de uma conversa com seu filho estão ensinando a ele: "Essa pessoa é mais importante que você". Como pais, também devemos praticar a atenção concentrada.

Ensinar boas maneiras é ensinar respeito ao próximo

A quinta aptidão social se refere às *boas maneiras*, aquelas coisas que fazemos ou deixamos de fazer quando nos relacionamos com as pessoas. Recentemente fui recebido em um aeroporto por um rapaz encarregado de me levar ao hotel onde eu iria falar naquela noite. Durante o trajeto, observei que ele respondia às minhas perguntas com "Sim, senhor" e "Não, senhor". Presumi que ele havia prestado o serviço militar recentemente, mas eu estava errado.

Mais tarde o ouvi conversar com uma mulher durante a reunião e ele sempre dizia "Sim, senhora" e "Não, senhora". Ficou óbvio para mim que se tratava de um rapaz criado em um lar onde se ensinavam boas maneiras: dirigir-se a um homem como "senhor" e a uma mulher como "senhora".

Cada cultura e subcultura possui seu próprio catálogo de boas maneiras, geralmente ensinadas e aprendidas em casa. Eis algumas que aprendi durante minha infância em uma família de classe média no sul dos Estados Unidos.

- Quando alguém lhe der um presente ou lhe fizer um elogio, sempre diga: "Obrigado".
- Não fale de boca cheia.
- Peça permissão antes de brincar com os brinquedos de sua irmã.
- Nunca pegue o maior pedaço de carne.
- Prove os alimentos antes de rejeitá-los e somente depois disso diga: "Não, obrigado".
- Nunca entre no quarto de alguém sem antes bater na porta e dizer: "Por favor, posso entrar?".
- Cumpra as tarefas domésticas antes de jogar bola.
- Quando vir os pais fazendo alguma coisa, sempre pergunte: "Posso ajudar?".
- Aguarde sua vez para brincar com o *skate*.
- Sempre que um parente vier nos visitar, receba-o com um abraço.
- Quando quiser brincar com o filho do vizinho, bata na porta da frente e pergunte à mãe dele: "Posso brincar com fulano?". Caso a mãe dele diga: "Agora não", responda "Obrigado" e volte para casa.
- Diga: "Sim, senhora" e "Não, senhora" para sua mãe e "Sim, senhor" e "Não, senhor", para seu pai.
- Não grite com seus pais nem com sua irmã.
- Quando alguém estiver falando, não interrompa.
- Tire o boné quando entrar em casa.
- Olhe nos olhos quando estiver conversando com alguém.

AH, SE EU SOUBESSE!

- Quando quiser sal durante a refeição à mesa, diga: "Por favor, me passe o sal?".
- E sempre peça licença antes de sair da mesa.[3]

O objetivo das boas maneiras é demonstrar respeito por vizinhos e membros da família. Embora não sejam regras universais, são comuns o bastante para que você tenha reconhecido algumas delas e as tenha aprendido quando criança. Não estou sugerindo que adote essa lista, mas sim incentivando que elabore um catálogo próprio de boas maneiras que gostaria de ensinar a seu filho.

Professores de escolas públicas geralmente comentam que o maior problema em sala de aula é a falta de respeito. Muitos estudantes não têm respeito pela autoridade dos professores nem por seus colegas de classe, situação que muitas vezes acaba tumultuando as aulas.

Ensinar boas maneiras aos filhos é a principal forma de ensiná-los a respeitar as autoridades e os bens e os direitos dos outros. As crianças precisam aprender que há coisas que fazemos ou deixamos de fazer por respeito ao próximo. O filho que aprender a respeitar pais e irmãos terá maior probabilidade de respeitar professores e outros adultos. O adolescente que grita com os pais provavelmente gritará com o cônjuge no futuro.

Sugiro que você e seu cônjuge criem uma lista de boas maneiras que aprenderam quando eram crianças. Em seguida, reflitam sobre os itens listados e vejam quais deles gostariam de ensinar a seus filhos. Caso tenham crescido em um lar em que esse assunto não ganhava muita ênfase, conversem com outros casais e verifiquem que boas maneiras eles estão transmitindo aos filhos. Elaborar uma lista é um meio de ter essa aptidão social sempre em mente.

Depois de criarem essa lista, comecem a observar como vocês demonstram cortesia. Ouvem com empatia, procurando compreender o ponto de vista um do outro? Pedem em vez de exigir? Quando surge um conflito, vocês se concentram em procurar uma solução ou em brigar para ver quem fica com a última palavra? Antes de pedir a seu cônjuge que mude de atitude, você diz a ele três coisas que aprecia nele? Depois de ouvir o pedido de desculpas dele e decidir perdoá-lo, você deixa o incidente para trás? Essas são algumas questões para refletir. Lembre-se que seu exemplo de cortesia será extremamente importante para seus filhos.

> As crianças precisam aprender que há coisas que fazemos ou deixamos de fazer por respeito ao próximo.

Raiva sob controle

A sexta aptidão social é o *controle da raiva*, ou seja, não deixar que a ira assuma o controle. A exemplo dos adultos, todas as crianças sentem raiva. O problema não está na raiva em si, mas em como lidamos com ela. Crianças que não aprendem a lidar com a raiva de modo saudável terão problemas de relacionamento. Infelizmente, muitos pais não aprenderam essa aptidão social na infância e continuam lutando para administrar a própria raiva até hoje.

Comecemos pelo começo. Há dois tipos de raiva: a definitiva e a distorcida. A raiva definitiva é nossa reação emocional quando somos tratados injustamente. A raiva distorcida é nossa reação quando não obtemos o que desejamos. A maior parte da raiva da criança é distorcida. Por volta de 2 anos, ela começa a manifestar ataques de birra, geralmente por não ter obtido o doce ou o brinquedo que desejava. Costuma ocorrer em supermercados e pode ser muito embaraçoso para os pais.

A fim de fazer a criança se acalmar, com frequência os pais cedem à chantagem, pegam o doce ou o brinquedo e o empurram nas mãos do filho, dizendo: "Toma! Agora pare de gritar". Ao agirem dessa maneira, os pais ensinam que o ataque de birra funciona. Caso essa atitude se transforme num padrão, seus filhos se tornarão adolescentes rebeldes e adultos sem domínio próprio.

Como reagir diante dessa situação? Sugiro que você nunca ceda aos ataques de birra. Caso ocorra no supermercado, simplesmente leve seu filho para o carro e fique lá até ele se acalmar. Explique que essa não é a maneira de ganhar um doce e que ele nunca conseguirá o que quer na base do choro ou do grito; em seguida, leve-o de volta ao supermercado e termine suas compras. Caso ocorra em casa, diga a ele que pode gritar quanto quiser no quarto, não em sua presença. Resumindo, não permita que a raiva e o descontrole o levem a conseguir o que deseja. Ele aprenderá rapidamente a fazer pedidos em vez de exigências. E, quando você disser não, ele respeitará sua autoridade. Obviamente, faça tudo isso com muita calma e muito amor por seu filho.

Depois de superado o "teste da birra", e tão logo a criança tenha idade suficiente para falar, comece a ensinar-lhe maneiras positivas de lidar com a raiva. O ideal é conversar sobre as emoções em vez de gritar e chantagear a pessoa com quem estamos zangados. Por exemplo, uma mãe poderia dizer: "Filho, quando você estiver com raiva de mim, venha falar comigo e diga: 'Mamãe, estou com raiva. Podemos conversar?'. Se eu estiver lavando a louça, direi: 'Claro, espere só eu terminar de lavar a louça'. Se eu estiver disponível, direi: 'Claro, sente aqui e me conte o que está acontecendo'. Entendeu? Muito bem, agora me conte o motivo da sua raiva". Essa mãe então ouve o filho com empatia e tenta resolver a situação.

Quando a criança percebe que os pais prestam atenção às suas queixas, aprende a conversar em vez de gritar. É responsabilidade dos pais ajudá-la a compreender a diferença entre raiva definitiva e raiva distorcida. Quando os pais tratam o filho injustamente, têm de pedir perdão a ele (conforme apresentamos no capítulo 8). Em contrapartida, caso a criança esteja com raiva porque não lhe foi permitido fazer alguma coisa ou receber algo que deseja, os pais podem explicar a razão da recusa e tomar suas decisões segundo o que acreditam ser melhor para ela. Lembre-se que os pais sabem mais que o filho a respeito do que é melhor para ele. É claro que a criança ainda poderá chorar e sair bufando por não ter conseguido o que desejava, mas ao menos saberá a razão de os pais terem agido como agiram.

Não podemos impedir os filhos de chorar quando decepcionados. Aliás, esse tipo de choro pode ser muito benéfico. Algumas vezes os pais também choram por não conseguirem o que desejam, porém não gritam nem atiram objetos (assim espero) quando isso acontece. O exemplo dos pais é fundamental (conforme apresentamos no capítulo 7). Portanto, caso você não esteja lidando com sua raiva de modo responsável, é hora de fazer um curso de controle da raiva ou ler um livro sobre o assunto. Você pode obter mais ajuda sobre compreensão e processamento da ira em meu livro *Anger: Taming a Powerful Emotion* [Ira: Como domar essa poderosa emoção].[4]

Nunca é tarde demais para aprender. Na verdade, é necessário aprendermos a lidar com a nossa raiva de uma maneira positiva se quisermos ensinar nossos filhos a lidarem com a deles.

Outras duas aptidões sociais importantíssimas para as crianças são desculpar-se e dar e receber amor. Escrevi extensivamente sobre essas duas aptidões mais atrás, portanto não há necessidade de revê-las aqui. Esteja ciente, porém, da importância delas.

Gostaria que alguém tivesse me informado a respeito dessas aptidões sociais antes de eu me tornar pai. Aprendi a controlar minha raiva somente depois do nascimento de meus filhos. Embora eu me saísse bem em algumas das outras habilidades, sempre houve espaço para aprimoramento. Acredito que quanto mais você desenvolver essas aptidões em sua própria vida, maior será sua eficácia em ensiná-las a seus filhos.

TROCANDO UMA IDEIA

1. Que emoções você sentiu hoje? O que provocou essas emoções? Conhecer as próprias emoções é o primeiro passo para ensinar seus filhos a ter empatia pelos outros.
2. Peça ao seu cônjuge que responda à questão acima e compartilhe a resposta com você. É uma oportunidade de ambos conversarem em um nível emocional.
3. Você disse alguma palavra gentil para alguém hoje? Fez alguma coisa boa para alguém? Peça ao seu cônjuge que compartilhe as respostas dele com você.
4. Estabeleça o objetivo de falar ou fazer ao menos alguma coisa boa para alguém todos os dias. Seria interessante começar com seu cônjuge.
5. Faça uma lista de dez coisas pelas quais você se sente grato e depois compartilhe com seu cônjuge. Durante uma

APTIDÕES SOCIAIS SÃO TÃO IMPORTANTES QUANTO CONHECIMENTO ACADÊMICO

semana, acrescentem todos os dias a essa lista uma coisa nova pelas quais vocês são gratos.

6. Você dedica atenção exclusiva ao seu cônjuge quando ele está falando? Escolham uma noite dessa semana para conversar olho no olho (televisão, computador e celulares desligados) a respeito de três coisas que aconteceram durante o dia e como se sentiram a respeito delas. Aprender a dar "atenção concentrada" preparará vocês para a paternidade.

7. Faça uma lista de "boas maneiras" que aprendeu quando criança. Peça ao seu cônjuge que faça o mesmo. Em seguida, comparem suas listas e vejam quais gostariam de ensinar ao seu filho. Que outras coisas poderiam acrescentar a essa lista?

8. Desculpe perguntar novamente, mas como você está lidando com a raiva? Caso haja oportunidade para isso, peço que você e seu cônjuge leiam e comentem algum livro sobre o assunto. Raiva mal administrada prejudica o casamento e os relacionamentos familiares.

Ah, se eu soubesse que...
OS PAIS SÃO RESPONSÁVEIS PELA EDUCAÇÃO DE SEUS FILHOS

Tive uma formação acadêmica excelente. Formei-me em pedagogia antes que tivéssemos a primeira criança. Eu desejava, claro, que meus filhos tivessem uma boa educação. Esperava que chegassem à faculdade, mas não pensava muito a respeito do meu papel na educação deles. Acho que presumia simplesmente que esse trabalho cabia aos professores. Se naquela época alguém tivesse me perguntado quais eram meus planos para a educação dos meus filhos, provavelmente eu teria respondido que os matricularia numa escola pública, pois foi o que meus pais fizeram e funcionou muito bem.

Não considerei o fato de que boa parte da educação dos filhos ocorre antes mesmo de ingressarem no ensino fundamental. Também não considerei a drástica mudança cultural desde a época em que estudei em escola pública (não sou contrário à escola pública; falarei mais sobre isso adiante). Felizmente,

O primeiro professor do seu filho é você

Karolyn estava mais ciente que eu das necessidades educacionais das crianças e me ajudou a enxergar o caminho.

O primeiro professor do seu filho é você

Começarei com algumas ideias a respeito de educar crianças antes mesmo de entrarem na pré-escola. Educação tem a ver com o processo de ensinar e aprender. Alguém ensina e alguém aprende, e muitas vezes esse aprendizado flui em ambos os sentidos. Pelo menos foi o que aconteceu comigo: enquanto ensinava meus filhos, aprendia o tempo todo com eles e a respeito deles. Grande parte da educação inicial dos filhos ocorre no contexto do dia a dia. Talvez os pais não pensem nisso como "educação", mas estão "educando" pela forma de interagir com os filhos no fluxo normal da vida. Uma experiência de Shannon ilustra muito bem essa situação.

"Certa vez, Carson empurrou Presley. Ela caiu no piso de concreto e machucou o joelho. Minha primeira reação foi consolar minha filha e tratar a ferida. Isso me deu tempo de pensar em como lidar com o mau comportamento de Carson. Ele me observava tratar o ferimento no joelho da irmã; seu remorso era evidente. Minutos depois, lembrei-o de que ele havia causado o acidente. 'Mas eu não sabia que o chão ia machucar o joelho dela', ele respondeu. Então o abracei e disse: 'Agora você sabe que cair machuca. Não a empurre de novo'. Pedi que se desculpasse com Presley, e ele o fez. Resultado do episódio: Presley com curativos no joelho e consolada com o fato de eu reconhecer sua dor física e emocional; Carson com uma lição aprendida (assim espero) e uma demonstração tanto do meu amor por ele como da minha determinação em responsabilizá-lo; e eu com a tarefa imediata de preparar o jantar, ainda que por dentro desejasse tirar uma folga."

Por meio desse episódio Shannon ensinou Presley a reagir adequadamente a um agressor. Quanto a Carson, ensinou-lhe que cair em piso duro machuca, que empurrar é errado e que é necessário pedir perdão quando faz algo errado. Shannon também demonstrou que os pais continuam amando seus filhos mesmo quando se comportam mal. Duvido que ela estivesse pensando: "Estou educando meus filhos", mas foi exatamente o que fez. Os pais educam os filhos todas as vezes que interagem com eles.

Além das muitas oportunidades que temos de ensinar as crianças no dia a dia, eu gostaria de sugerir aos pais que criem oportunidades de aprendizado para seus filhos. Uma das primeiras e mais fáceis é ler para eles. É possível ler para a criança tão logo ela seja capaz de se sentar sozinha ou em seu colo.

> Os pais educam os filhos todas as vezes que interagem com eles.

A criança pode, antes mesmo de compreender o significado das palavras, observar ilustrações e virar páginas, assimilando desse modo o conceito de que os livros fazem parte da vida. Quando ela começa a falar, os pais podem apontar o dedo para a figura de uma vaca e dizer "vaca". Dessa forma, a criança começa a construir seu próprio vocabulário, associando o som "vaca" à figura de uma vaca. Ela ainda não está pronta para associar esse som à palavra impressa (isso ocorrerá mais tarde), mas os pais a estão ajudando a desenvolver seu vocabulário, o que constitui uma parte considerável da educação inicial dos filhos.

Por volta dos 3 anos, muitas crianças podem começar a aprender a ler, isto é, a associar a palavra impressa com o vocabulário que possuem. Karolyn e eu optamos pelo sistema de cartões, e funcionou muito bem (na verdade foi ideia dela, mas eu entrei de cabeça na brincadeira). Eu me lembro de segurar um cartão impresso com a palavra "pé" e dizer à minha filha "pé", enquanto apontava ou tocava o pezinho dela. Embora ela já possuísse o som "pé" em seu vocabulário, agora estava aprendendo a fazer a ligação entre os três elementos: o som, a palavra impressa e aquela parte de seu corpo. Isso é aprender a ler. Hoje em dia, basta digitar na internet a expressão "como ensinar seu filho a ler" para encontrar todo tipo de produto eletrônico para auxiliar nesse processo. Eu ainda prefiro o método dos cartões.

A pré-escola

Conforme comentei anteriormente, tomamos a decisão de que Karolyn se tornaria mãe em tempo integral depois do nascimento de nossa primeira filha. Assim, a educação das nossas crianças ocorreu em casa até estarem preparadas para a pré-escola. Sei, contudo, que muitos casais trabalham o dia todo, que muitas crianças são criadas por apenas um dos pais, e que a educação pré-escolar é obrigatória em alguns lugares. Em casos como esses, a pré-escola é uma necessidade.

Shannon e Stephen deram sorte de ter pais e sogros que moram perto e estão dispostos a desempenhar um papel importante no cuidado das crianças. A proximidade de parentes disponíveis para ajudar é um arranjo excelente. Afinal, haverá pessoas mais interessadas no bem-estar da criança que os avós? Shannon e Stephen matricularam seus filhos (entre 1 e 2 anos de idade) em um programa pré-escolar de meio período, duas a três vezes por semana. Isso dava à mãe de Shannon, a principal cuidadora das crianças, tempo para tratar de assuntos pessoais e outras atividades.

Durante a escolha da pré-escola, Shannon teve a sorte de encontrar um lugar que era mais que uma simples creche. Era uma instituição com foco verdadeiramente educacional, com funcionários treinados, bem-humorados e sempre atentos à segurança das crianças. Portanto, aconselho os pais a "fazer a lição de casa" antes de colocar os filhos na pré-escola: procurem escolas disponíveis em sua região; conversem com outros pais cujas crianças estejam na mesma faixa etária que seu filho; visitem pessoalmente os locais; conversem com o diretor e os funcionários; assistam a algumas aulas. É um processo cansativo, mas o esforço será recompensado quando encontrarem um lugar seguro e agradável, em que seus filhos serão bem cuidados, estimulados e instruídos.

Depois de escolher o local e fazer a matrícula, continue envolvido com a educação do seu filho. Monitore e apoie as pessoas que cuidam dele. De modo geral, as pré-escolas apreciam o envolvimento dos pais. Shannon também sugere que, caso os avós estejam ajudando a cuidar do seu filho, converse regularmente com eles para verificar se possuem tudo o que é necessário para isso. Nunca se esqueça da importância deles e, sempre que possível, reconheça o auxílio inestimável que representam para você e seu filho.

Com relação à educação infantil, quero também ressaltar o papel importante que a igreja local pode ter em ajudar os pais. Embora existam diferentes tipos de igrejas (algumas têm programas educacionais excelentes, outras nem tanto), muitas oferecem cuidados infantis e classes dominicais especiais. Quando Karolyn e eu nos mudamos para outra cidade em razão dos meus estudos, escolhemos nossa igreja com base no programa pré-escolar que oferecia (até suporto pregações medianas, mas não frequentaria uma igreja que não tenha um bom departamento infantil). Talvez você não esteja frequentando uma igreja nesse momento, mas não descarte esse recurso valioso para auxiliá-lo na educação de seu filho.

Opções de ensino formal

Aos poucos a criança cresce, passa pela creche ou jardim de infância e atinge a idade adequada para frequentar a pré-escola. Lembro-me do dia em que nossos filhos começaram a ir à escola. Esforçamo-nos muito (quer dizer, Karolyn se esforçou muito) para encontrar a melhor pré-escola da cidade. Não sei quantas pré-escolas ainda ensinam fonética, mas era um método excelente naquela época. Compramos material escolar, mochilas infantis, tiramos fotos e lhes dissemos que se divertiriam muito na escola. E foi exatamente o que aconteceu. (E como não poderia deixar de ser, derramamos algumas lágrimas ao perceber que nossos "bebês" já não eram mais bebês e haviam se tornado oficialmente "estudantes".)

> Até suporto pregações medianas, mas não frequentaria uma igreja que não tenha um bom departamento infantil.

São muitas as opções para a criança que entra na pré-escola e depois no ensino fundamental. Em minha infância, décadas atrás, quase todas as crianças frequentavam a escola pública. Havia pouca (e em muitos casos, nenhuma) opção. Hoje, porém, a realidade é outra. Existem várias opções de escolas privadas (algumas de orientação religiosa, outras seculares), e inclusive no âmbito da escola pública: escolas públicas tradicionais e escolas gratuitas de gestão privada. Nos Estados

AH, SE EU SOUBESSE!

Unidos há o *homeschooling* [educação domiciliar], que vem ganhando popularidade. É provável que na próxima década surjam outras opções. Enfim, os pais têm uma decisão importante a tomar com relação à educação de seus filhos. Essa tarefa pode exigir tempo, esforço e muita reflexão e será uma das decisões mais importantes para a vida de seu filho.

Seria interessante fazer uma pesquisa *on-line* para obter uma visão geral dos tipos de educação disponíveis e os objetivos de cada uma. Um bom lugar para começar são os portais das instituições públicas de educação, com conteúdo de interesse para pais, professores e estudantes. Entretanto, uma forma mais prática de obter informações sobre sua região é conversando com outros pais cujos filhos frequentam o ensino fundamental. Esses pais poderão fornecer informações de primeira mão com base em sua experiência.

A seguir um breve resumo dos tipos de educação mencionados.

Escola pública tradicional

A qualidade da escola pública apresenta enorme variação em todo o país, indo desde a excelência até o deplorável, dependendo da localidade e da gestão. Uma maneira de obter informações é conversando com os professores das escolas de sua região e com pais que têm filhos matriculados na escola que despertou seu interesse. Essas escolas acompanham o currículo estabelecido pelo conselho de educação de seu município ou estado.

Escolas públicas de gestão privada

São escolas públicas independentes mantidas com recursos privados. Em geral, exigem processo seletivo ou sorteio e determinado nível de desempenho escolar. Os pais costumam ter maior nível de envolvimento nessas escolas.

Escolas privadas

Há várias razões para se optar por escolas particulares: qualidade do ensino, ambiente seguro e organizado, valores morais e éticos, professores dedicados e grupos de apoio. Pais que optam por escolas cristãs são motivados também pelo desejo de integrar a cosmovisão cristã aos estudos acadêmicos. Por fim, é necessário pensar no custo desse tipo de escola, consideravelmente maior que o da escola pública.

Educação domiciliar

A ideia de ensinar crianças em casa nasceu nos Estados Unidos nos anos 1970 como alternativa às escolas públicas e particulares. Entre as razões para se optar pela educação domiciliar é possível citar: insatisfação com as opções educacionais disponíveis, diferenças de crença religiosa ou filosofia educacional, e o sentimento de que a criança não está progredindo dentro da estrutura tradicional de ensino. De acordo com o Instituto Nacional de Pesquisa de Educação Domiciliar, existem nos Estados Unidos mais de 2 milhões de crianças estudando por meio dessa modalidade, que cresce entre 7 a 15% ao ano e é legalizada em todos os estados do país.[1]

Creio que a maioria dos pais deseja a melhor escola para seus filhos. Entretanto, encontrar essa escola pode ser um processo longo. Muitas vezes nossas opções são limitadas por diversos fatores. Por exemplo, crianças que necessitam de cuidados especiais terão poucas opções conforme a localidade. O orçamento da família é outro fator limitante. O mesmo se pode dizer do fator geográfico. Outro ponto que pode ter grande impacto na escolha é a filosofia de vida ou a concepção de mundo dos pais. Aliás, a própria educação e experiência dos pais também pode influenciar sua decisão. Qual a melhor escola para o *meu* filho? Essa é a pergunta a qual todo pai terá de responder.

Como decidir?

Nem eu nem Shannon temos a intenção de responder a essa pergunta em seu lugar. Ainda assim, sugerimos alguns itens interessantes para investigar. O primeiro é o currículo escolar. Embora o governo federal seja responsável por estabelecer um currículo básico para a escola pública (e para as particulares), na prática são os estados e os municípios que determinam o currículo de suas escolas. As escolas particulares, mesmo aquelas de alcance nacional, hoje possuem mais autonomia que as escolas públicas quanto à composição do currículo.

> Em minha opinião, o ensino fundamental é o alicerce de todo o restante da carreira acadêmica dos filhos.

Por que o currículo é tão importante? Porque norteia o conteúdo e a forma como esse conteúdo será transmitido à criança. Trata-se de uma área de grande conflito na educação pública do país. Há pessoas interessadas em reescrever a história a fim de acomodá-la às suas próprias interpretações filosóficas. Outro conflito se refere ao melhor momento e maneira de ensinar educação sexual. Em alguns casos, o currículo básico tem sido adaptado para uma orientação mais social, isto é, mais relevante culturalmente, em detrimento de conteúdos mais fundamentais como saber ler, escrever e calcular. São áreas importantes para os pais investigarem. Em minha opinião, o ensino fundamental é o alicerce de todo o restante da carreira acadêmica dos filhos. A criança que tiver dificuldade para ler, escrever e calcular sofrerá muito no ensino médio e talvez nunca alcance o ensino superior.

Os pais devem identificar a filosofia por trás do currículo escolar, a maneira como essa filosofia será posta em prática nas disciplinas e quais objetivos visa alcançar. Para pais cristãos, é importante conhecer a maneira como a religião é tratada no currículo: ignorada, apresentada de maneira equilibrada ou claramente anticristã? Cada currículo terá uma abordagem diferente.

Em vista disso, muitos optam, quando possível, por escolas que ofereçam aos pais, por incentivo de professores e diretores, a possibilidade de exercerem um papel mais ativo na educação de seus filhos, especialmente no caso de crianças para as quais se tenha um foco educacional especial.

Karolyn e eu escolhemos uma escola cristã para nossos filhos, desde a pré-escola até o ensino fundamental. Para o ensino médio nós os matriculamos em uma escola secular. Somos muito gratos por todos os professores e diretores que investiram na educação dos nossos filhos. Sempre tivemos a convicção de que nossos filhos deveriam ser ensinados com base em uma cosmovisão cristã. Apesar disso, conversávamos com eles a respeito de outras perspectivas e a razão de termos escolhido a fé cristã. Hoje ambos têm ensino superior, uma fé cristã vigorosa e um desejo profundo de dedicar a vida para ajudar os outros.

Embora Shannon e Stephen tenham crescido frequentando a escola pública, também optaram por matricular os filhos em uma escola particular cristã. "É uma questão pessoal", comentou Shannon. "Não julgamos a escolha dos outros, mas estamos cientes do que queremos para nossos filhos, incluindo o desejo de que aprendam e cresçam na fé, sem serem ridicularizados ou perseguidos por causa disso. Em nossa opinião, esses objetivos não seriam alcançados nas escolas públicas disponíveis em nossa região."

Concordo plenamente com Shannon e Stephen. Quem escolhe quem o ajudará a educar os seus filhos é você, e a sua escolha deve ser feita de acordo com os seus valores e a sua filosofia de vida.

Shannon e eu recomendamos fortemente que, após a escolha da escola, os pais se envolvam com a Associação de Pais e Mestres, prestem serviço voluntário na escola, compareçam às reuniões de diretoria quando permitido, enfim, que estejam sempre engajados com a educação e a escola dos filhos. Essa atitude positiva pode trazer muitos resultados benéficos para filhos, pais, escola e comunidade.

Os pais devem conversar regularmente com os filhos sobre o que eles estão aprendendo na escola e como esse conteúdo se aplica à vida ao seu redor. Oportunidades para esse tipo de conversa podem surgir, por exemplo, ao ajudar as crianças com os deveres de casa, coisa que acontece quase diariamente no ensino fundamental. Conversar a respeito do conteúdo escolar pode proporcionar muitas oportunidades de aprendizado.

Interagir com a criança e o conteúdo escolar pode ajudar a esclarecer questionamentos dos filhos e influenciar positivamente a experiência de aprendizado. Há muito material suplementar para auxiliar os pais em casa, como livros, brinquedos, artesanato, jogos e vídeos. Tudo isso pode ser utilizado para ensinar conceitos educacionais. Ao usarem esses recursos e conversarem com seus filhos, os pais dão um passo além na responsabilidade de educá-los.

Conforme mencionamos, a cada ano nos Estados Unidos cresce o número de pais que optam por ensinar seus filhos em casa. Esse aumento pode estar relacionado a preocupações a respeito do currículo. Pais que ensinam os filhos em casa também apreciam maior liberdade de escolha com relação ao cotidiano da criança e ao tempo que dedicam ao emprego. Shannon e eu temos muitos amigos adeptos do ensino domiciliar e admiramos muito o empenho deles. São pais extremamente engajados em dar aos filhos o que acreditam ser a melhor experiência educacional possível. Fico impressionado com algumas crianças que têm recebido esse tipo de educação. Em geral, são crianças que conversam com facilidade e possuem fortes aptidões sociais.

Educar os filhos em casa exige alto nível de compromisso por parte dos pais. Geralmente um deles permanece em casa em tempo integral, fazendo o papel de pai-professor. Nesse caso, o outro se envolve totalmente quando retorna para casa depois do trabalho. Além de possuir uma programação flexível, outra vantagem do ensino domiciliar é a oportunidade de levar a criança para trabalhos de campo relacionados ao tema da matéria que ela está estudando em casa. Isso também permite cooperação com outros pais adeptos dessa modalidade que porventura tenham mais competência na matéria em questão. Essas oportunidades, sem mencionar o uso de aulas *on-line*, expõem a criança a outros professores além dos próprios pais. Alguns até matriculam os filhos em escolas particulares para, na condição de alunos ouvintes, aprenderem coisas que os pais não têm capacidade para ensinar. Esse tipo de situação costuma ocorrer próximo ao período correspondente ao final do ensino fundamental e início do ensino médio.

Não se preocupe se tudo isso parecer coisa demais para assimilar antes da chegada do bebê ou se ele ainda nem saiu das fraldas. Você tem cinco anos pela frente para pensar, investigar e decidir o melhor caminho. Enquanto isso, lembre-se que a criança aprende todo dia em todo lugar. Portanto, mantenha os olhos abertos e não se esqueça de que você é o principal educador de seu filho. Embora seja verdade que, como diz o provérbio africano, em algumas situações "educar os filhos é tarefa da aldeia", os pais ainda são responsáveis por cuidar de seus filhos e buscar a melhor opção educacional para eles.

Felizmente, existem pessoas em nossas comunidades dispostas a participar da educação das crianças, mas ninguém cuidará delas com o mesmo nível de envolvimento e amor que os próprios pais. Permita que outros o ajudem, mas tenha sempre em mente que ninguém é tão importante quanto você na vida de seu filho.

TROCANDO UMA IDEIA

1. Durante os primeiros quatro a cinco anos, você e seu cônjuge, e seja lá quem vocês escolherem para ajudar na criação de seu filho, exercerão grande impacto na formação dele. Quais aspectos você considera os mais importantes nessa primeira fase de criação?

2. Já conversou com seu cônjuge a respeito de como será essa primeira fase? Um dos dois ficará em casa? Ambos trabalharão em tempo integral? Ou um de vocês pode optar por trabalhar meio período a fim de passar mais tempo com a criança?

OS PAIS SÃO RESPONSÁVEIS PELA EDUCAÇÃO DE SEUS FILHOS

3. Caso ambos decidam prosseguir com suas carreiras profissionais em tempo integral, quem escolherão para tomar conta da criança? Há necessidade de mais reflexão sobre esse assunto?

4. Embora ainda tenham cinco anos para tomar a decisão, quais são suas ideias atuais acerca de colocar o filho de vocês na pré-escola?

5. Pense em sua própria formação educacional da infância à adolescência. Que memórias agradáveis e não tão agradáveis lhe vêm à mente? Compartilhem algumas dessas lembranças um com o outro e perguntem-se como elas influenciarão sua decisão a respeito da educação de seu filho.

6. Lembre-se que a cultura em que vivemos está em constante mudança. Não pense que as escolhas de seus pais serão as melhores para seu filho. Compartilhe suas ideias com seu cônjuge.

7. Assuma o compromisso de investigar minuciosamente as opções disponíveis na época em que seu filho estiver pronto para iniciar a educação formal. Sem dúvida será um tempo bem investido.

Ah, se eu soubesse que...
O CASAMENTO NÃO FUNCIONA NO PILOTO AUTOMÁTICO

Algum tempo atrás, um jovem marido veio ao meu escritório dizendo:

— Perdi minha esposa.

— Como assim? — questionei. — Ela abandonou você?

— Não, nada disso. Eu quis dizer que o bebê se tornou o centro da vida dela. É como se ela tivesse deixado de ser esposa e virado mãe. Sei que o bebê consome muita energia dela, mas como manter nosso casamento vivo? Minha sensação é como se a tivesse perdido de verdade.

Tenho ouvido sentimentos semelhantes em meu escritório ao longo dos anos. Às vezes é um marido sentindo que perdeu a esposa para o bebê, outras vezes uma esposa sentindo que o marido se casou com o emprego. Uma esposa comentou: "Ele nunca me ajuda a tomar conta do bebê. Quando volta para casa, senta-se em frente ao computador já pensando nas coisas do dia seguinte. Acho que o bebê precisa tanto de um pai quanto de uma mãe. Preciso da ajuda dele. Estou me sentindo muito sozinha".

A verdade é que o casamento não prospera em piloto automático depois do nascimento do bebê. No capítulo 1, vimos como a criança altera radicalmente a agenda pessoal. Neste capítulo, apresentarei algumas ideias práticas de como manter o casamento saudável durante a fase de criação dos filhos. Estou convicto de que você e seu cônjuge podem ser bons pais e ter um casamento saudável.

Tudo começa com o reconhecimento de que as coisas mudam quando se tem um filho. Não será mais possível fazer as mesmas coisas que se fazia antes. Agora existem três pessoas em vez de duas, e uma delas necessita de quantidades imensas de atenção dos outros dois. Aquele "tempo livre" de outrora vai diminuir drasticamente. Entretanto, não caiam no erro de pensar: "Não temos mais tempo para nós dois". Sem dúvida há maneiras de suprir as necessidades do bebê e prestar atenção um ao outro. Afinal, os casais vêm fazendo isso há milhares de anos. Alguns, com três filhos ou mais, ainda continuam tendo um bom relacionamento. Vejamos algumas coisas que descobrimos aconselhando centenas de casais ao longo dos anos.

Como ter um bom casamento depois da chegada do bebê

O primeiro passo é ter *determinação*, isto é, pensar, decidir e agir tendo sempre em mente a atitude: "Vamos dar um jeito de manter o casamento vivo enquanto criamos nosso filho". É necessário que seja uma decisão consciente por parte do marido e da mulher, uma decisão sobre a qual ambos conversaram e concordaram. Mas não pense que uma mera conversa basta! É necessário verbalizar a decisão um para o outro e confirmá-la com um abraço e um beijo. Somente assim os dois estarão de comum acordo e caminhando para a mesma direção a fim de alcançar sucesso. "Quem quer fazer encontra um meio", diz um antigo provérbio.

Se tiverem mais filhos futuramente, seria interessante renovarem sua determinação de tempos em tempos, uma vez que cada criança a mais aumenta a carga de trabalho. Shannon é sincera em relação à luta que enfrenta: "Stephen e eu percebemos a necessidade de reafirmar nossa 'determinação' depois de vários meses criando nossos três filhos. A vida antes dos filhos era uma vaga lembrança, e sabíamos que já tínhamos sido mais próximos. Com os dois trabalhando em tempo integral e totalmente imersos na criação dos filhos, começou a sobrar menos tempo um para o outro. Já não conversávamos tanto. Não éramos mais tão carinhosos. Às vezes, éramos grosseiros e falávamos com aspereza. Estávamos atirando sobre o outro nossas frustrações. Ambos sabíamos que algo precisava mudar. Então, começamos a conversar abertamente e renovamos nossa determinação de transformar o casamento naquilo que desejávamos que ele fosse. Foi um momento decisivo. Começamos, com muita determinação, a tomar passos para mudar nosso estilo de vida".

Quem leu meus outros livros sabe que Karolyn e eu também passamos maus bocados no início de nosso casamento. Foi somente com grande *determinação* que nos mantivemos focados em nosso relacionamento, mesmo diante de situações difíceis. Talvez seja por isso que continuo enxergando muita esperança para casais em dificuldades. Afinal, se Karolyn e eu, com todas as nossas diferenças, aprendemos a trabalhar em equipe e a estabelecer um relacionamento amoroso e edificante, sem dúvida outros também podem. Muitas vezes digo o seguinte para casais que vêm ao meu consultório: "Sei que vocês estão sem esperança. Nesse caso, vamos trabalhar usando a minha esperança por vocês. Não peço que tenham esperança, mas que decidam tomar os passos necessários para aprender a mudar suas atitudes e suas ações e ver o que acontece". A determinação fará com que tenham o casamento que sempre sonharam.

O nascimento do bebê não resolverá problemas conjugais anteriores. Alguns casais pensam que "ter um filho vai melhorar o casamento". Embora o bebê produza um sentimento maravilhoso ("Veja, meu amor, nós dois geramos essa criança") e uma percepção psicológica de afinidade ("Você e eu estamos juntos nessa jornada"), o nascimento do bebê não consertará relacionamentos deteriorados. É possível, porém, que crie uma percepção de mudança ("Precisamos tratar nossos problemas, não apenas por nossa causa, mas por causa da criança"). Essa motivação geralmente faz com que o casal procure ajuda. E, como bem se sabe, quem procura encontra.

Não acredite nas desculpas habituais que os casais costumam oferecer nos consultórios: "Não tenho tempo"; "Não tenho disposição"; "Não temos dinheiro"; "Ela sabe que eu a amo"; "O problema é ele, não eu"; "Vou mudar depois que ela mudar"; "Já tentamos isso antes e é perda de tempo tentar outra vez"; "Está tudo bem conosco"; "Ela está exagerando nossos problemas". São desculpas que o casal utiliza para justificar a falta de *determinação* em tratar o relacionamento. Quando usa essa e outras justificativas, você se torna seu pior inimigo. Em vez disso, eu o desafio a tomar uma atitude diferente. Diga: "Eu posso, eu farei", e prometo que jamais se arrependerá disso.

Quer você tenha um casamento saudável, quer tumultuado, espero que as ideias expostas neste capítulo lhe sejam úteis. O casamento jamais permanece imóvel: ou está se desenvolvendo ou está se deteriorando. Meu desejo é que seu casamento cresça, do mesmo jeito que, juntos, vocês dão à luz um filho e procuram ser pais responsáveis.

Comunicação, o oxigênio do casamento

Falar e ouvir — parece tão simples. Sim, a comunicação está para o casamento como o oxigênio está para o corpo. Ela mantém vivo o casamento. Saber o que minha esposa está pensando, o que aconteceu com ela hoje e como está se sentindo me ajuda a encontrar maneiras de apoiá-la. Entretanto, jamais saberei o que passa pela cabeça dela a menos que ela se disponha a falar e eu a ouvi-la, nem ela saberá meus pensamentos e sentimentos a menos que eu os revele falando e ela decida me ouvir.

É por essa razão que recomendo separar um "período diário para conversar", um momento em que ambos param para ouvir um ao outro. Podem ser apenas quinze minutos; o importante é acompanhar dia a dia o que acontece na vida do cônjuge. Depois desse momento diário, sugiro perguntarem um ao outro: "O que posso fazer para ajudar você?". Afinal, o objetivo do casamento é este: marido e esposa se auxiliando mutuamente a fim de alcançarem o máximo de seu potencial para o bem no mundo. "É melhor serem dois que um", diz um provérbio hebraico (Eclesiastes 4.9). Entretanto, essa verdade se aplica apenas quando um apoia o outro.

Não sou ingênuo a ponto de achar que todos os casais cultivam essa atitude ("O que posso fazer para ajudar você?"). Sei disso por experiência própria. É claro que, quando namorávamos, eu, então no auge da "paixão", estava disposto a fazer qualquer coisa por ela. Raramente brigávamos, pois tudo o que eu queria era fazê-la feliz. Ninguém me contou, porém, que em aproximadamente dois anos essa "paixão" desapareceria, nossas diferenças começariam a surgir e eu retornaria ao normal, isto é, a ser egoísta. Passei a exigir coisas dela, e foi então que percebi que minha esposa também era egoísta. Ela queria as coisas do seu jeito tanto quanto eu as queria do meu jeito. Nosso casamento passou da euforia para o desespero em questão de meses. Lembro-me de ter pensado: "Isso não vai dar certo. Casei com a pessoa errada".

No meu caso o problema era ainda pior, porque na época eu cursava o seminário para me tornar pastor. Eu deveria ser um exemplo de homem cristão, mas não demonstrava nenhuma atitude cristã em meu casamento. As coisas somente mudaram depois que, desesperado, admiti a Deus que não sabia como salvar meu casamento. Perguntei a ele como fazer isso, e ele me mostrou, porém não como eu esperava. Deus me lembrou de que eu deveria amar minha esposa "como Cristo amou a igreja", entregando a vida por ela (Efésios 5.25). Não era assim que eu estava agindo. Na verdade, era exatamente o contrário: queria que *minha esposa* se entregasse por mim.

> Eu deveria ser um exemplo de homem cristão, mas não demonstrava nenhuma atitude cristã em meu casamento.

As coisas começaram a melhorar depois que admiti meu egoísmo a Deus e a Karolyn e pedi perdão. Em seguida, comecei a perguntar a ela três coisas regularmente: "Como posso ajudar? Que posso fazer para facilitar sua vida? Como posso me tornar um marido melhor para você?". Quando eu estava disposto a perguntar, Karolyn estava disposta a me responder. Eu havia assumido o compromisso de fazer tudo o que estivesse ao meu alcance para melhorar a vida dela, e em questão de três meses ela também começou a me fazer essas mesmas perguntas. Quando duas pessoas tentam genuinamente enriquecer a vida uma da outra, ambas se tornam vencedoras. Esse é o propósito do casamento.

Estipular períodos diários para conversar a respeito de experiências, pensamentos e sentimentos, em atitude de "como posso ajudar você?", conduzirá a um casamento cada vez melhor. Caso você ainda não tenha essa rotina de conversação com seu cônjuge, sugiro que comece hoje mesmo. E, se houver necessidade de mudar sua atitude, peço encarecidamente que admita seu egoísmo diante de Deus e de seu cônjuge. Tenho certeza de que Deus o perdoará e provavelmente seu cônjuge também o perdoará, sobretudo depois de perceber que suas atitudes mudaram.

O amor é o oposto do egoísmo. O amor entrega, o egoísmo exige. O amor busca o bem do próximo, o egoísmo procura somente a própria satisfação. Duas pessoas egoístas jamais terão um casamento bem-sucedido. Duas pessoas amorosas sem dúvida o terão.

Desencontro emocional

Vamos supor que você tenha optado por agir em amor daqui para a frente. Nesse caso, gostaria de lembrá-lo das cinco linguagens do amor que apresentei no capítulo 6. Cada criança tem um tanque de amor emocional que necessita ser preenchido regularmente pelos pais. Creio que os adultos também têm um "tanque de amor" emocional e, portanto, precisam se sentir amados pelas pessoas importantes em sua vida. Para os casados, a pessoa mais importante para amar é o cônjuge.

Contudo, mesmo que marido e mulher sejam sinceros em seu amor, é possível que estejam se desencontrando emocionalmente em razão de falarem linguagens do amor diferentes. Talvez o marido esteja exprimindo amor por meio de atos de serviço, enquanto a linguagem do amor de sua esposa é tempo de qualidade. Esse marido faz muitas coisas em casa para ajudar a esposa e fica chocado quando a ouve dizer: "Parece que você não me ama". O problema está no fato de ele não estar se comunicando por meio da linguagem do amor dela.

Ao longo dos últimos vinte anos, tenho auxiliado milhares de casais a descobrirem a linguagem do amor um do outro e a mudarem o clima emocional de seus relacionamentos. Caso o leitor não conheça meu livro *As 5 linguagens do amor*, sugiro que o leia com seu cônjuge. Acredito que esse livro, com mais de 11 milhões de cópias vendidas em inglês e traduzido para cinquenta idiomas ao redor do mundo, será de grande auxílio para melhorar seu casamento.

Reconhecer seu egoísmo, pedir perdão e amar seu cônjuge por meio da linguagem do amor dele cria um clima emocional positivo no casamento. A vida se torna mais fácil quando marido e mulher se sentem amados e estimulados mutuamente. Não significa que serão perfeitos, mas que pedirão perdão quando falharem. Até hoje digo e faço coisas que magoam minha esposa. Quando percebo meu comportamento, fico triste comigo mesmo. Essa tristeza me leva a lhe pedir perdão, na esperança de que ela me perdoe. Não há como ter um casamento saudável sem pedir desculpas e perdoar. Não pense que o tempo cura mágoas causadas por comportamento ofensivo. A cura ocorre somente quando o ofensor pede perdão e o ofendido perdoa.

Resolvendo conflitos

Manter o "tanque do amor" cheio e remover as barreiras emocionais por meio do perdão mútuo são elementos essenciais para um casamento próspero. Outro ingrediente extremamente importante é aprender a resolver conflitos. Nossa natureza humana, incluindo nossas diferenças de personalidade e de criação, causam conflitos. Por "conflito" refiro-me à propensão natural do ser humano para discordar e apegar-se com todas as forças às convicções pessoais. Todo casal passa por conflitos. Alguns discutem e brigam, outros ouvem e buscam soluções. Discuti muito com minha esposa no início do nosso casamento, mas hoje prefiro mil vezes ouvir e encontrar soluções. Conflitos não resolvidos geram distanciamento emocional entre os cônjuges, enquanto a busca por soluções os une.

Existem dois elementos importantíssimos para se resolver conflitos de modo saudável. Primeiro, é necessário ouvir e tentar compreender a posição do outro — e não apenas o que o outro pensa, mas também o que sente. Tente se colocar no lugar do outro e enxergar o mundo por meio dos olhos dele. Levando em consideração a personalidade do seu cônjuge e a maneira como ele interpreta os fatos, você consegue entender como ele pensa e sente? Tente fazer isso e verá que não é tão difícil quanto parece. Depois disso, diga-lhe o que você percebeu ao se colocar no lugar dele. Uma das coisas mais poderosas que podemos dizer depois de ouvir é: "Agora estou entendendo o que você quis dizer" (afinal, sempre faz sentido para o outro o que ele está dizendo). Por meio dessa declaração você deixa de ser um inimigo para se tornar um amigo compreensivo.

Em seguida, você pode dizer: "Deixe-me dizer agora como eu enxergo a situação e veja se você compreende minha perspectiva". Caso seu cônjuge ouça com essa mesma atitude de compreensão, talvez ele diga: "É verdade, seu ponto de vista também faz sentido. Como vamos resolver isso?". Esse entendimento permite que ambos se concentrem em buscar uma solução em vez de ficar brigando para ver quem fica com a última palavra.

Existem três maneiras de resolver conflitos: (1) concordar com a posição do outro; (2) encontrar um meio-termo entre a posição de cada um; (3) concordar em discordar e continuar amigos. Talvez mais tarde vocês consigam adotar a posição 1 ou 2; por enquanto, podem aceitar a realidade de que discordam em alguma questão, mas não vão deixar que isso cause divisão conjugal.

Em algumas questões vocês permanecerão divergentes para sempre, mas não é necessário que isso cause ruptura conjugal. Karolyn e eu até hoje não concordamos na maneira de colocar a louça na lava-louças, mas concordamos em aceitar o método um do outro sem discussão. Talvez você e seu cônjuge nunca concordem com a forma de apertar o tubo de pasta de dente (se é melhor no meio ou na ponta), mas podem concordar em cada um ter seu próprio tubo, assim cada um usa do jeito que achar melhor. As diferenças de personalidade provavelmente nunca mudarão. É necessário, portanto, se ajustarem um ao outro. Concentrem-se nos aspectos positivos e minimizem os irritantes. A vida é muito curta para permitirmos que as diferenças nos separem.

Além das questões fundamentais apresentadas aqui, Shannon e eu gostaríamos de recomendar os tópicos a seguir.

Flertar, namorar e muito mais

Flerte! Flertar, isto é, chamar a atenção um do outro de maneira amorosa e divertida, pode estimular muito o casamento. Você se lembra de como agia com seu cônjuge quando se conheceram? Imagine que estão de volta a esse período.

Namore! Em seu livro *52 Uncommon Dates* [52 maneiras incomuns de namorar],[1] Randy Southern pede aos casais que se dediquem seriamente ao namoro no casamento. A fim de ajudar maridos e esposas a colocar a criatividade para funcionar, Randy recomenda 52 formas divertidas de namorar que podem ser facilmente incorporadas na rotina pelo mero ato de decidir realizá-las. Randy sugere "o quê" e "como", e o casal entra com o "quero" e a prática. Seja por meio dessa ou de outras obras semelhantes, seja por meio de ideias próprias, casais que sempre separam um tempinho para namorar adquirem muitos benefícios que podem ajudá-los a se aproximar emocional e fisicamente. Depois da chegada do bebê, vocês vão precisar de familiares ou amigos que possam tomar conta dele a fim de arranjarem tempo um para o outro. No começo esses encontros serão breves, mas à medida que seu filho se desenvolve vocês poderão ter encontros mais longos.

Toque! Pequenos contatos físicos ao longo do dia (abraços, beijos, andar de mãos dadas etc.) podem ser lembretes do amor que sentimos um pelo outro. Esse tipo de coisa é especialmente importante para o cônjuge cuja principal linguagem do amor é toque físico. Tocar o outro transmite a ideia de "quero ficar perto de você". Embora a intimidade sexual seja um dialeto do toque físico, nem todos os toques precisam acabar na cama. É claro que uma vida sexual saudável mantém o casal unido emocionalmente, porém toques sem conotação sexual são igualmente importantes para um casamento bem-sucedido.

Saia! Alguns casais imaginam que jamais conseguirão sair nos finais de semana depois da chegada do bebê. Entretanto, é possível levar o bebê junto durante o primeiro ano de idade. Não é a mesma coisa que antes, mas é possível cuidar do bebê e ao mesmo tempo concentrar-se no relacionamento. À medida que o bebê se desenvolve vocês poderão encontrar outras pessoas que tomem conta dele enquanto vocês se curtem. Uma única noite ou uma diária em um bom hotel pode fazer maravilhas por seu casamento. Existe algo especial e revigorante em passar tempo juntos fora de casa.

Continue aprendendo! O casamento é uma jornada para a vida. Jamais acredite que chegou ao seu destino final. Ao contrário, mantenha-se sempre aberto ao aprendizado. Enquanto há vida, há aprendizado. Algumas coisas aprendemos por experiência própria, mas há muito que aprender por meio da experiência dos outros. Costumo incentivar os casais a adotarem duas práticas na vida: (1) ler ao menos um livro sobre casamento por ano e discuti-lo com o cônjuge, perguntando: "O que podemos aprender com o que acabamos de ler?"; (2) participar de um evento para casais uma vez ao ano. Pode ser um encontro de final de semana, um retiro, um jantar ou uma palestra em sua igreja ou cidade. Essas reuniões trarão perspectivas novas e ideias criativas que estimularão seu relacionamento conjugal.

Cuide-se! Casais com crianças pequenas podem facilmente ser engolidos pela rotina e descuidar do próprio corpo.

AH, SE EU SOUBESSE!

Manter-se saudável física, emocional e espiritualmente é importante não apenas para o próprio indivíduo, mas para o casal. Quais são suas necessidades? Que áreas pessoais precisam de atenção? O que há de disponível em sua cidade que pode ajudá-lo? Muitas igrejas oferecem cuidados infantis para que as mães, sabendo que os filhos estão em boas mãos, possam descansar e participar de alguma atividade relacionada à própria saúde.

Alguns casais dirão "sim, mas..." para cada uma dessas sugestões. A verdade, porém, é que casais que desejam um casamento próspero precisam buscar, criar e aproveitar todas as oportunidades de melhorar o relacionamento, mesmo e especialmente quando têm crianças pequenas. Casais proativos adquirem maior controle sobre o relacionamento que simplesmente deixando-o no "piloto automático". São mais capazes de enfrentar os desafios que aparecem de tempos em tempos e têm mais chances de alcançar um matrimônio saudável. Casais que se comprometem com a prosperidade do relacionamento conjugal maximizam o apreço de um pelo outro e se tornam pais melhores.

> Seus filhos terão um benefício enorme a partir do momento em que você decidir priorizar seu casamento.

Seus filhos terão um benefício enorme a partir do momento em que você decidir priorizar seu casamento. Afinal, nada é mais importante na criação dos filhos que fornecer a eles um bom exemplo de pai e mãe que se amam, se incentivam e se apoiam, que sabem resolver conflitos de modo positivo e que se desculpam e se perdoam quando erram. Espero que as ideias expostas neste capítulo o ajudem a criar esse tipo de casamento.

TROCANDO UMA IDEIA

1. Converse com seu cônjuge a fim de encontrarem maneiras de manter o casamento firme depois do nascimento do bebê. Espero que cheguem a uma *determinação* — "Encontraremos uma forma de manter o casamento vivo enquanto criamos nosso filho". Selem sua resolução com um beijo e um abraço.
2. Caso haja assuntos não resolvidos no relacionamento antes do nascimento do bebê, procurem agora mesmo um conselheiro, pastor ou amigo chegado e busquem soluções. Será mais fácil fazer isso agora que depois da chegada do bebê.
3. Estabeleça um período diário de diálogo em que compartilhem ao menos duas coisas que aconteceram durante o dia e como se sentiram a respeito. Procurem compreender-se e demonstrar empatia um com o outro.
4. Comecem a prática de perguntar um ao outro diariamente: "Que posso fazer para ajudar você?".
5. Descubram e falem regularmente a linguagem do amor um do outro. Seria interessante começar com o teste sugerido no livro *As 5 linguagens do amor*.
6. Depois de perceber que tem falhado em ser uma pessoa amorosa, peça desculpas e busque o perdão do seu cônjuge (seria interessante reler o capítulo 8).
7. Quando surgirem conflitos entre vocês, aprenda a dizer: "Temos opiniões diferentes sobre esse assunto. Que tal sentarmos e ouvirmos um ao outro? Você quer começar ou eu começo?". Concentre-se em compreender a posição do seu cônjuge por meio de palavras estimuladoras: "Acho que estou entendendo seu ponto de vista. Faz sentido o que você está dizendo". Depois disso, exponha sua opinião. Dialogar dessa maneira conduz à resolução de conflitos.

8. Quais das sugestões a seguir você mais gostaria de fazer depois que o bebê chegar? Dê uma nota de zero a dez para cada uma e compartilhe com seu cônjuge.

___ Flertar

___ Namorar

___ Tocar (e ser tocado)

___ Sair

___ Cuidar-se

Ah, se eu soubesse que...
CRIANÇAS PODEM TRAZER GRANDE ALEGRIA

Em minha opinião, alegria é mais que uma emoção passageira. É uma satisfação profunda com a maneira como se vive a vida. Profissões voltadas para ajudar os outros podem ser uma grande fonte de contentamento. Em contrapartida, profissões cujo único propósito é ganhar dinheiro trazem pouca ou nenhuma alegria. O casamento pode ser em si mesmo uma fonte de alegria, caso seja do tipo descrito no capítulo 11. O relacionamento com pais e familiares pode trazer alegria se forem relacionamentos sadios. Várias atividades recreativas e sociais têm potencial para trazer alegria, caso realizadas em atitude saudável. Poucas coisas, no entanto, trazem mais alegria que o investimento na criação dos filhos.

Nos capítulos anteriores escrevi a respeito de noites mal dormidas, fraldas sujas, treinamento do peniquinho, enfermidades ocasionais, tarefas domésticas incessantes, horários malucos e birras. Neste capítulo, quero falar a respeito da alegria subjacente a todos esses desafios que esgotam a energia dos pais. A criação dos filhos exige tempo, energia, dinheiro e esforço contínuo, mas a satisfação ultrapassa em muito o estresse vivenciado durante a jornada.

A chegada do bebê pode ser uma coisa terrível e ao mesmo tempo magnífica. Terrível porque você se sente despreparado, magnífica porque é seu filho. Você e seu cônjuge criaram esse novo ser humano. Dentro dele, ainda que não esteja desenvolvido, existe um potencial ilimitado. Você recebeu o privilégio e a oportunidade de ensiná-lo e treiná-lo para que alcance todo esse potencial. Acaso haverá desafio mais empolgante?

Como pai, tenho grande alegria em ver meus dois filhos adultos alcançarem seu potencial para Deus e para o bem do mundo. Entretanto, você não precisa esperar até que seus filhos atinjam a maturidade para desfrutar dessa alegria. Qualquer pai e mãe mais experientes se lembrarão da alegria de segurar o bebê nos braços e cuidar dele dizendo aquele monte de palavras bobas que ele não entende. Também falarão da alegria de balançar o bebê para dormir, de segurá-lo pelas mãos enquanto dava os primeiros passos, de responder às perguntas que fazia aos 3 ou 4 anos, de como choraram ao deixá-lo sozinho no primeiro dia da pré-escola, de como gritaram de empolgação com o primeiro gol que ele marcou pelo time de escola.

Essas boas lembranças continuam a trazer muita satisfação à medida que a criança se desenvolve. Olhando para trás, percebemos como os anos passam depressa na vida dos filhos — ou, como se costuma dizer: "Os dias eram longos, mas os anos foram curtos". O que os pais acabam percebendo é que os dias longos caem rápido no esquecimento, mas os anos curtos são lembrados por muito tempo.

Encontrando alegria

Sabendo que a infância não dura para sempre, como os pais de crianças pequenas podem se concentrar nas alegrias da criação dos filhos e comemorá-las, em vez de se estressar com as responsabilidades parentais? É a essa questão que Shannon e eu procuramos responder neste capítulo.

Como está sua saúde?

Comecemos com o fato de que sua saúde emocional, mental e espiritual é o elemento mais importante para que você encontre alegria na criação dos filhos. Caso não esteja bem consigo mesmo, com seu cônjuge e com Deus, é bastante provável que encare a paternidade como um peso, e não uma alegria.

Como mensurar a própria saúde? Uma das melhores ferramentas que descobri para esse propósito foi escrita no primeiro século pelo apóstolo Paulo, um dos primeiros líderes da igreja cristã. Ele sugeriu que pessoas verdadeiramente saudáveis apresentam nove características: "amor, alegria, paz, paciência, amabilidade, bondade, fidelidade, mansidão e domínio próprio" (Gálatas 5.22-23). Em minhas sessões de aconselhamento, tenho percebido que se trata de uma excelente ferramenta de diagnóstico. Em outras palavras, sua saúde está diretamente relacionada com seu grau de amor verdadeiro: sua preocupação genuína com os outros, sua profunda satisfação com seu modo de vida, sua paz consigo mesmo, com Deus e com os outros, sua paciência, bondade e amabilidade em todos os seus relacionamentos, sua fidelidade, sua persistência, a gentileza com que trata os outros e a maneira como exerce controle sobre suas paixões em vez de se deixar ser dominado por elas.

Quero desafiá-lo a utilizar esse padrão para mensurar sua saúde mental, emocional e espiritual. Caso reconheça a necessidade de mudanças em algumas dessas áreas, seria um bom momento para começar a ler algum livro sobre o assunto, bater um papo com um amigo, procurar aconselhamento, participar de uma palestra, conversar com um pastor, envolver-se com uma igreja, ler a Bíblia e orar. A visão de mundo do cristianismo sustenta que Deus deseja nos dar a capacidade de nos tornarmos pessoas completamente saudáveis. Pessoas assim têm mais chances de experimentar a verdadeira alegria da paternidade.

> Caso não esteja bem consigo mesmo, com seu cônjuge e com Deus, é bastante provável que encare a paternidade como um peso, e não uma alegria.

A alegria de ver os filhos aprendendo

Uma das grandes alegrias da vida está no aprendizado. Lembro-me de quando era criança e comecei a descobrir o prazer de ler livros. Um mundo novo e cheio de aventuras se descortinou diante de mim. Os livros me trouxeram enorme satisfação (alegria). Todos os pais podem experimentar esse tipo de alegria ao participarem do aprendizado de seus filhos.

Conforme mencionado anteriormente, o processo de aprendizado da criança tem início muito antes de ela ir para a escola. Cada passo de seu desenvolvimento motor pode trazer grande alegria aos pais. "Olha, olha, ele se virou sozinho! Estava de costas e se virou de bruços!", diz um pai à sua esposa. Só de ler essas palavras você é capaz de sentir a alegria desse pai. Mais tarde o bebê começa a engatinhar e agora é a vez da mãe dizer: "Veja, veja, ele está engatinhando!".

CRIANÇAS PODEM TRAZER GRANDE ALEGRIA

Ainda me lembro da alegria, da empolgação de ver nossos filhos dando os primeiros passos. Eles se seguravam no sofá e eu, distanciando-me um pouco deles, dizia: "Vem, vem para o papai. Você consegue. Vem". Então davam meio passo e caiam. "Muito bom, muito bom. Vamos tentar novamente", dizia eu, colocando-os de volta no sofá e repetindo o processo. Um passinho, dois, três e em pouco tempo estavam andando. Cada passo deles me enchia de alegria enquanto estavam aprendendo a andar.

Além do desenvolvimento dessas habilidades motoras, os pais se alegram ao vê-los aprendendo aptidões sociais (conforme apresentadas no capítulo 9). Ouvir a criança dizer "por favor" ou "obrigado", de espontânea vontade, é uma grande alegria. É claro que você teve de ensiná-la a dizer essas palavras, e talvez tenha levado mais tempo que o esperado, mas ela entendeu. E, embora seja necessário relembrá-la de tempos em tempos, sem dúvida ela está no caminho certo para aprender duas aptidões sociais que enriquecerão os relacionamentos dela. Assim, como pai ou mãe, você pode descansar e aproveitar esse momento de alegria. Você e seu filho estão progredindo.

Mais tarde começará a aventura acadêmica, outro motivo de alegria para os pais. Quando eles aprendem a ler, você vai se pegar rindo sozinho. Foram anos lendo para os filhos, agora é a vez de os filhos lerem para os pais. É um processo lento, mas eles aprenderão e mais tarde contarão a você o que aprenderam em suas leituras. É nesse momento que você dividirá com seu cônjuge sua felicidade por ver seus filhos amando a leitura. Crianças que leem terão acesso a um universo em constante expansão, e isso traz grande alegria para os pais.

Outro motivo de profunda satisfação surgirá quando seu filho começar a tomar a iniciativa de completar os deveres de escola e as tarefas domésticas antes de sair para brincar. Você sabe que aprender a estabelecer prioridades (fazer em primeiro lugar as coisas mais importantes) vai enriquecer os relacionamentos dele quando chegar à fase adulta.

É motivo de grande satisfação ver os filhos adquirindo aptidões e atitudes que os ajudarão a se tornarem adultos responsáveis. Refletir sobre essa verdade pode fazer os pais se sentirem menos deprimidos com relação à quantidade de tempo e prática necessárias para que isso aconteça, e mais esperançosos quanto aos resultados duradouros de seus esforços. Essa atitude os ajudará a respirar com mais calma e colher muitas alegrias ao longo do processo de aprendizado dos filhos.

Pais que se alegram com a jornada de aprendizado de seus filhos também podem redescobrir a alegria de eles mesmos voltarem a aprender. Ao ler para seu filho, talvez você se lembre de algumas histórias de sua própria infância. Por exemplo, a clássica história *A pequena locomotiva* traz lições para crianças e adultos. Se seus pais não liam para você, talvez descubra a alegria de ler enquanto lê para seu filho. Você também poderá aprender tanto quanto seu filho, ou até mais, assistindo juntos a determinados programas de televisão e perguntando a ele quais lições podem aprender com aquele programa. Muitas vezes a criação dos filhos estimula os pais a retornarem ao aprendizado. Afinal, nunca somos velhos demais para aprender.

Criando experiências alegres

Pais também se alegram ao criarem experiências agradáveis para seus filhos. Acredito que a maioria dos pais deseja que o lar seja um lugar alegre, um porto seguro em meio às pressões do mundo. Queremos isso para nós e nossos filhos. Uma maneira de transformar esse sonho em realidade é perguntar a si mesmo: quando meus filhos saírem de casa, que lembranças da família eu mais gostaria que ele levasse?

É possível que esse questionamento o leve de volta à sua infância, especialmente se você cresceu em um lar saudável. Por exemplo, talvez se recorde que seus pais liam para você todas as noites antes de dormir e quem sabe até orassem com você. Talvez se recorde que eles acompanhavam suas partidas de futebol ou outras atividades escolares de que participava. Talvez o tenham ensinado a tocar piano, violão ou a costurar. Quais memórias positivas você tem de sua infância e que gostaria de reproduzir com seus filhos?

É claro que nem todos os adultos foram criados em lares alegres e saudáveis. Alguns cresceram com medo, em meio a brigas e explosões de raiva. Adultos que não possuem boas memórias da infância precisam recorrer à criatividade. Reflita e converse com seu cônjuge a respeito do tipo de boas lembranças que gostariam de deixar para seus filhos. O que você espera que eles falem sobre sua família quando forem adultos?

A seguir compartilhamos algumas memórias positivas que Shannon e eu temos ouvido de muitos pais ao longo dos anos: "Meus pais sempre reservavam tempo para mim", "Líamos juntos", "Construíamos coisas juntos", "Brincávamos no quintal", "Sempre orávamos antes das refeições", "Ríamos o tempo todo", "Íamos à igreja aos domingos", "Cantávamos juntos". Talvez queira que seus filhos se lembrem de coisas como essas.

Duas memórias de infância favoritas de meus dois filhos, hoje adultos e casados, dizem respeito à comida. A partir do momento em que nossa primeira filha começou a se sentar à mesa, Karolyn decidiu preparar todos os dias um grande café da manhã para a família. Minha esposa não gosta de acordar cedo. Essa decisão, portanto, representou um grande sacrifício da parte dela. Karolyn cumpriu esse propósito até nosso último filho entrar na faculdade. De minha parte, concordei em ler a Bíblia e orar todas as manhãs durante o café. À medida que as crianças cresciam, permiti que orassem se quisessem. Algumas vezes orávamos após Karolyn servir a mesa, outras vezes depois de terminada refeição. Era sempre algo breve, porém (assim espero) significativo.

Quando atingiram idade suficiente para participar das conversas, começamos a utilizar a hora do jantar para comentar os acontecimentos da vida de cada um ao longo do dia. Elogiávamos nossos filhos pelas coisas boas que realizaram e questionávamos aquelas não tão boas. Karolyn e eu falávamos de nossos erros e acertos. Prosseguimos com esse costume ao longo de todo o ensino fundamental e ensino médio (algumas vezes era necessário mudar o horário do jantar em razão dos jogos de basquete de nosso filho). Acreditávamos que a hora da refeição noturna era uma oportunidade importante para estarmos em contato uns com os outros. Os assuntos à mesa aumentaram e ficaram mais complexos quando começaram a cursar o ensino médio.

Nossos filhos contam que os momentos à mesa durante o café da manhã e o jantar são suas memórias mais afetuosas. Essas conversas continuaram mesmo quando voltavam da faculdade trazendo amigos, muitos dos quais se espantavam ao verem uma família conversando.

Você deverá decidir como transformar seu lar em uma experiência positiva para os filhos. Sem dúvida a vida é uma correria. Mas acaso há coisa mais importante que aparelhar seus filhos para encontrarem o próprio caminho na vida, contribuírem com a sociedade de maneira importante e única e criarem a própria família? Shannon e eu nunca ouvimos pai ou mãe dizer: "Gostaria de ter passado mais tempo limpando a casa enquanto meus filhos cresciam", "Gostaria de ter trabalhado mais", "Gostaria de ter passado menos tempo com meus filhos". Óbvio que não! O que ouvimos é justamente o contrário: queriam ter separado mais tempo com seu filhos e feito mais coisas de que gostavam com eles.

Muitas vezes os pais só percebem anos depois o que gostariam de ter feito diferente no início da paternidade. A infância passa rápido demais. Sábios são os pais que planejam antecipadamente os objetivos que desejam alcançar na criação dos filhos. Cultivar esse pensamento pode ajudar os pais a criar e a manter relacionamentos felizes com seus filhos.

> A infância passa rápido demais. Sábios são os pais que planejam antecipadamente os objetivos que desejam alcançar na criação dos filhos.

Encontrando alegria nas brincadeiras

Outra fonte de alegria gigantesca para os pais é brincar com seus filhos. Brincar é natural para a criança. Por meio da brincadeira a criança se expressa, explora o mundo, resolve problemas, relaciona-se com os outros e adquire aptidões importantes para a vida. Brincar, portanto, é uma oportunidade maravilhosa para que os pais se conectem com seus filhos, os compreendam e estimulem. Dessa forma, os pais encontrarão grande alegria.

O desafio é encontrar tempo para isso em meio a tantas outras responsabilidades e correrias da vida. A palavra-chave aqui é, mais uma vez, *priorizar*. Brincar é uma das maiores alegrias da criança. Por que deixar de fazer hoje o que você não será capaz de fazer amanhã? Ou por que deixar de fazer hoje o que não será capaz de fazer daqui a alguns anos? Não siga o caminho do remorso! Encontre tempo para brincar com seus filhos.

Pais que brincam com os filhos provavelmente se lembrarão de como isso é divertido. Os filhos os farão recordar de inúmeras possibilidades de diversão: vestir fantasias, lutar com espadas, dançar, construir castelos de blocos, jogos de tabuleiro, *video games*, instrumentos musicais e fantoches, brincar de casinha, pega-pega, esconde-esconde, sem contar jogar futebol e queimada no quintal. Por meio dessas e outras atividades, as crianças convidam os pais para brincar e recebem com alegria o convite deles. Por meio dessas atividades divertidas, pais e filhos desfrutam a companhia um do outro e estreitam seus relacionamentos. Aliás, esses momentos de diversão e lazer podem se transformar nas memórias mais alegres da família nos anos futuros.

Além da alegria de brincar com os filhos, os pais também se divertem observando seus filhos brincarem com outras crianças. Quer jogando em times organizados, quer simplesmente brincando com as crianças da vizinhança, ver os filhos se divertindo e demonstrando espírito esportivo pode ser um grande prazer.

Todavia, eu gostaria de dar um aviso a respeito de esportes organizados: não leve o jogo muito a sério. Tenho visto pais se irritarem com seus filhos ou com o técnico. Trata-se de um comportamento antiesportivo que tira toda a alegria do esporte. Melhor aceitar o fato de que nem sempre as coisas acontecem como gostaríamos. Portanto, elogie os esforços de seu filho e ajude-o, por meio de seu exemplo de pai, a aceitar as decisões da arbitragem, ainda que você discorde delas.

Encontrando alegria no elogio

Procure sempre oportunidades de elogiar seu filho em todos os momentos que estiverem juntos. Caso não tenha crescido em um lar amoroso, não deixe que isso o impeça de dar ao seu filho aquilo que você não recebeu. Podemos aprender com os exemplos negativos tanto quanto com os positivos. Pergunte a si mesmo o que seus pais fizeram ou deixaram de fazer e o que você gostaria de fazer diferente. Caso tenha sido educado por pais amorosos e carinhosos, pergunte a si mesmo quais características gostaria de imitar e como fazer para se tornar um bom exemplo dessas características.

A criança deseja e merece a aprovação dos pais. Palavras de estímulo trazem imensa alegria para ela. Isso não significa que os pais não devem corrigir o mau comportamento (no capítulo 5 tratamos da importância da disciplina), mas que devem fazê-lo em amor, nunca com raiva.

A criança que se sente amada e apoiada tem maior probabilidade de trazer satisfação para os pais. A criança que se sente não amada e rejeitada por pais grosseiros

> Pergunte a si mesmo o que seus pais fizeram ou deixaram de fazer e o que você gostaria de fazer diferente.

e recriminadores tem menor probabilidade de lhes trazer alegria. É por essa razão que fui forçado a dizer no capítulo 5 que crianças também podem trazer muito sofrimento aos pais.

Shannon e eu atendemos no consultório muitos pais profundamente tristes por causa das decisões e comportamentos de seus filhos adolescentes. Recordam os anos que dedicaram à criação de seus filhos e comentam como gostariam de voltar atrás e fazer tudo diferente. Esperamos que este capítulo o ajude a viver sem remorsos. Se você apreciar seu filho, ele provavelmente gostará de ser seu filho e lhe trará grande alegria.

Concentrar-se nas dificuldades e estresses da paternidade pode trazer grande tristeza. Em contrapartida, se você se concentrar na alegria que os filhos trazem e fizer o melhor a cada dia, a alegria será sua eterna companheira.

TROCANDO UMA IDEIA

1. Quais alegrias você imagina que trouxe para seus pais quando criança?
2. Quais sofrimentos pensa que trouxe para eles?
3. De que maneira sua infância afetará sua paternidade?
4. Quais características de seus pais você gostaria de imitar?
5. Quais coisas gostaria de fazer diferente?
6. Quais livros leu quando criança? Quais livros planeja ler para seus filhos?
7. Quais eram suas brincadeiras favoritas com seus pais, irmãos ou amigos? Consegue se imaginar brincando dessas mesmas coisas com seus filhos?
8. A partir da ferramenta de diagnóstico de nove pontos que apresentamos no início do capítulo, analise sua própria saúde emocional, mental e espiritual e atribua uma nota de zero a dez para cada item abaixo:
   ___ amor
   ___ alegria
   ___ paz
   ___ paciência

CRIANÇAS PODEM TRAZER GRANDE ALEGRIA

___ amabilidade
___ bondade
___ fidelidade
___ mansidão
___ domínio próprio

O que você pode fazer hoje para cultivar essas características como preparação para a paternidade?

EPÍLOGO

Creio que a maioria das pessoas concordaria que a família é a unidade fundamental da sociedade. Em meus estudos acadêmicos de bacharelado e mestrado em antropologia cultural, percebi que em todo o mundo a família — mãe, pai e filhos — é considerada o alicerce da sociedade. Embora cada cultura tenha sua própria linguagem e estruturas sociais diversas, a família é a unidade social que une todas as culturas.

Famílias saudáveis criam filhos preparados para se tornarem adultos responsáveis. Famílias disfuncionais criam filhos problemáticos que terão dificuldade para formar relacionamentos saudáveis depois de adultos. Como pai, penso haver poucas coisas mais dolorosas que ver filhos se tornando adultos mal preparados. É por essa razão que dediquei minha vida a ajudar maridos e esposas a construírem casamentos saudáveis e se tornarem pais responsáveis.

Este livro é mais um esforço de minha parte, com a ajuda

da dra. Shannon Warden, de fornecer aos pais desta geração algumas descobertas que fiz como pai, conselheiro e estudioso de longa data do casamento e da família. Procurei fornecer um retrato realista das dificuldades e estresses da paternidade, juntamente com algumas ideias práticas de como criar um ambiente familiar positivo na sociedade inconstante de hoje.

O que escrevi são percepções que gostaria sinceramente que alguém tivesse me contado antes de eu me tornar pai. Karolyn e eu concordamos que teríamos sido pais melhores se soubéssemos dessas coisas naquela época. Embora tenhamos aprendido muitas dessas coisas ao longo de nossa jornada, aprendemos da maneira mais difícil: por tentativa e erro. Espero que todos os casais que lerem este livro antes de se tornarem pais estejam muito mais bem preparados do que nós estávamos.

Também espero que este livro seja uma referência acessível para os pais à medida que seus filhos se desenvolvem nos âmbitos físico, mental, emocional, social e espiritual. Em outras palavras, que este livro não seja lido apenas uma vez, mas se torne fonte de consulta ao longo da aventura da paternidade/maternidade.

Shannon escreveu uma lista de coisas que ela e Stephen concordaram a fim de tornar essa jornada menos estressante para ambos. Você observará muitas ideias deste livro refletidas em sua lista.

- Estamos cientes e aceitamos o fato de que nossos filhos exigem muito do nosso tempo.
- Lembramos que desejamos desesperadamente ter cada um dos nossos filhos preciosos.
- Confiamos que Deus nos concederá o tempo de que precisamos para realizar tudo o que devemos fazer.

EPÍLOGO

- Priorizamos nossos filhos e o bem-estar deles acima dos nossos interesses pessoais e profissionais.
- Buscamos ajuda de cuidadores confiáveis como, por exemplo, nossos pais.
- Brincamos com nossos filhos com frequência porque sabemos que não permanecerão crianças para sempre.
- Prestamos atenção aos estágios de desenvolvimento e às atividades deles a fim de não os forçar além dos limites.
- Dividimos tarefas sempre que possível; por exemplo, enquanto um está cuidando de um ou dois filhos, o outro está ajudando com outras atividades como deveres escolares ou banho.
- Gerenciamos todas as atividades extracurriculares (nossas ou das crianças) a fim de evitar que ocupem todo o tempo em família.
- Evitamos lugares como restaurantes barulhentos onde nossos filhos ficam agitados e difíceis de controlar.
- Rimos muito ao pensar que futuramente iremos a um restaurante e ficaremos entediados sem crianças pequenas por perto para tumultuar a refeição.
- Comemoramos cada pequeno sucesso em nosso papel de pais, cientes de que são sinais de futuras coisas boas na vida de nossos filhos.
- Queremos (e sabemos da necessidade de) cuidar o tempo todo da nossa relação conjugal a fim de que não caia no abandono por causa de nosso trabalho como pais e outras responsabilidades.
- Estamos cientes e aceitamos a realidade de que iremos dormir muito cansados e acordaremos pelo menos um pouco menos cansados.

Shannon e Stephen ainda estão criando seus três filhos. Karolyn e eu já criamos os nossos e hoje somos avós. Estou curtindo muito esse estágio da vida, mas na verdade curti cada estágio que vivi. Houve períodos difíceis, ocasiões em que orei pela sabedoria que eu não tinha... e a recebi. Olhando para trás, não são esses períodos difíceis que me vêm à mente, mas a alegria de ver minha filha e meu filho desenvolvendo suas aptidões. Curti cada partida de basquete e cada recital de piano. Precisei adaptar minha agenda, mas valeu a pena.

Hoje nossos filhos estão casados, e Karolyn e eu temos muita alegria do comprometimento deles com o casamento e do modo como têm investido a vida profissional em ajudar os outros. Também estamos muito contentes em ver nossos netos lendo, estudando, brincando e honrando seus pais e avós. Concordo plenamente com um apóstolo da igreja primitiva que escreveu: "Eu não poderia ter maior alegria que saber que meus filhos têm seguido a verdade" (3João 1.4).

Shannon e eu esperamos que este livro tenha sido útil para você. Caso tenha gostado, por favor, recomende aos seus amigos. Sugestões e opiniões também são bem-vindas.

NOTAS

Introdução

[1] US. Department of Health and Human Services Office on Women's Health (2009), relatório de infertilidade disponível em: <http://www.womenshealth.gov/publications/our-publications/fact-sheet/infertility.html#1>. Acesso em 14 de maio de 2019.

Capítulo 1

[1] Gary Chapman, *As 5 linguagens do amor*, 3ª ed. (São Paulo: Mundo Cristão, 2013).

Capítulo 2

[1] Mark Lino, (2014), The United States Department of Agriculture's Center for Nutrition Policy and Promotion (CNPP), relatório intitulado: "Expenditures on Children by Families". (O leitor pode encontrar informações sobre a realidade brasileira em reportagem de Sophia Camargo, "Criar um filho custa mais de R$ 1 milhão; mães mostram como preparar bolso", UOL, 6 de out. de 2017, disponível em: <https://economia.uol.com.br/financas-pessoais/noticias/redacao/2017/10/06/como-se-planejar-financeiramente-para-a-chegada-do-primeiro-filho.htm>. Acesso em 14 de maio de 2019 [N. do T.].)

[2] Gary Chapman e Arlene Pellicane, *Growing up Social: Raising Relational Kids in a Screen-Driven World* (Chicago: Northfield Publishing, 2014).

Capítulo 4

[1] Algumas sugestão de obras disponíveis em português são: Guido Van Genechten, *O que tem dentro da sua fralda?* (São Paulo: Brinque Book, 2012); Benoît Charlat, *Cocô no trono* (São Paulo: Companhia das Letrinhas, 2006); Mij Kelly, *Cadê o meu penico?* (São Paulo: Companhia das Letrinhas, 2012). (N. do T.)

Capítulo 5

[1] No Brasil, a lei do uso da cadeirinha entrou em vigor a partir de 28 de maio de 2008, conforme Resolução nº 277 do CONTRAN, estabelecendo que todos os menores até 7 anos e meio de idade sejam transportados por meio desse dispositivo. (N. do T.)
[2] Rudolf Dreikurs, *Children the Challenge* (Nova York: Hawthorn/Dutton, 1964).

Capítulo 6

[1] John Bowlby, *A Secure Base: Parent-Child Attachment and Healthy Human Development* (Nova York: Basic Books, 1988).
[2] Erik Homburger Erickson, *Infância e Sociedade* (Rio de Janeiro: Zahar, 1971).
[3] Gary Chapman e Ross Campbell, *As 5 linguagens do amor das crianças* (São Paulo: Mundo Cristão, 2017).

Capítulo 8

[1] Gary Chapman e Jennifer Thomas, *As 5 linguagens do perdão*, 2ª ed. (São Paulo: Mundo Cristão, 2019).

Capítulo 9

[1] Citado em George Sweeting, *Who Said That?* (Chicago: Moody Publishers, 1995), p. 250.
[2] American Academy of Pediatrics (2011), "Policy Statement: Media Use by Children Younger than 2 Years", disponível em: <http://pediatrics.aap publications.org>. Acesso em 14 de maio de 2019.

NOTAS

[3] Gary Chapman, *O amor como estilo de vida* (São Paulo: Mundo Cristão, 2014).

[4] Gary Chapman, *Anger: Taming a Powerful Emotion* (Chicago: Northfield Publishing, 2015).

Capítulo 10
[1] No Brasil, trata-se de um assunto polêmico e que apenas recentemente começou a ser discutido pela sociedade. Para obter mais informações, consulte: <https://www1.folha.uol.com.br/educacao/2019/02/veja-perguntas-e-respostas-sobre-o-homeschooling-ou-educacao-domiciliar.shtml>. Acesso em 14 de maio de 2019. (N. do T.)

Capítulo 11
[1] Randy Southern, *52 Uncommon Dates* (Chicago: Moody Publishers, 2014).

Compartilhe suas impressões de leitura,
mencionando o título da obra, pelo e-mail
opiniao-do-leitor@mundocristao.com.br
ou por nossas redes sociais

Esta obra foi composta com tipografia Adobe Caslon Pro
e impressa em papel Pólen Natural 70 g/m² na gráfica Eskenazi